LAROUSSE

DE POCHE

VOCABULAIRE ANGLAIS

LAROUSSE

Réalisé par

LAROUSSE

Langues & Bilingues

ISBN 2-03-406011-3

INTRODUCTION ◢

Ce *Vocabulaire anglais* a été conçu pour être le compagnon idéal de vos révisions grâce à sa mise en pages attrayante et à son format pratique. Il s'adresse à tous ceux qui étudient l'anglais, qu'ils soient élèves du 1er/2e cycle ou bien en formation continue.

L'ouvrage, à travers 25 thèmes de l'environnement quotidien, répertorie environ *5000 mots et expressions usuels*, choisis à la fois parce qu'ils couvrent le programme lexical du 1er cycle mais aussi, et au-delà, pour leur actualité.

Les *américanismes* n'ont pas été oubliés et les dialogues, *Tune in!*, modernes et vivants, vous aideront à "rester à l'écoute" de l'anglais d'aujourd'hui.

Langue et civilisation allant de pair, certains aspects de la langue anglaise et de la culture britannique sont soulignés par des *commentaires* et des *illustrations* parce que chacun sait qu'un dessin vaut mieux qu'un long discours…

Mais l'anglais est aussi une langue internationale, c'est pourquoi une promenade linguistique et culturelle au sein de l'espace anglophone vous est proposée au chapitre *L'anglais dans le monde*.

En outre, un *guide de prononciation*, un *vocabulaire général* (complémentaire) et une *table des matières* complète sont fournis en fin d'ouvrage.

Introduction

Chaque thème (chapitre) est subdivisé en sous-chapitres à l'intérieur desquels le vocabulaire est classé dans l'ordre alphabétique.

to shake•	Le losange • indique les verbes irréguliers. Une liste des principaux verbes irréguliers se trouve par ailleurs p.223.
youth *U*	Le *U* est l'abréviation de "uncountable" et signale que le nom, dans le sens retenu, est "indénombrable". Pour plus d'explications, reportez-vous à la ***Grammaire anglaise*** p.11.
man *(pl **men**)* **dice** *(pl inv)*	Pluriels irréguliers ou invariables.
lift *(Am : elevator)* **to get• the sack** *(Am : to be• fired)*	Les *américanismes* sont mentionnés entre parenthèses, excepté les variantes orthographiques. Voir aussi *L'Anglais dans le Monde* p.236.
lager *(Br)*	De même, *Br* indique que le terme n'est employé qu'en anglais britannique.
loser *(n)* perdant(e)	Des catégories grammaticales ont parfois été insérées (*n* pour nom, *adj* pour adjectif et *adv* pour adverbe) lorsque la traduction seule ne constituait pas une indication suffisante.
physician médecin	Un léger <u>soulignement</u> vous permettra de repérer les faux amis.
Tune in!	Les traductions des expressions des dialogues sont données p.217.

Introducing Yourself

Meeting people • *Faire connaissance*

hallo, hello! *(Am : howdy!)*	salut! ; bonjour!
hi (there)! *(Am : hiya!)*	salut!
good afternoon	bonjour *(l'après-midi)*
good evening	bonsoir
good morning	bonjour *(le matin)*
how are you?	comment allez-vous/vas-tu?
how are things?	comment ça va?
how are you getting on?	comment ça va?
and you?	et vous?
fine, thanks	bien, merci
OK, okay	OK
very well	très bien
nice to see you	je suis content de vous/te voir

Introductions • *Les présentations*

to introduce	présenter
to shake• hands with	serrer la main à
how do you do?	enchanté
I'd like to introduce you to ... ,	je vous
I'd like you to meet ...	présente ...
this is ...	je vous/te présente ...
pleased to meet you	enchanté

Tune in!

> – Good evening, Mrs Brown.
> – Hello, Mr Smith, I'm so glad you could come. Do come in. And you've brought a friend, how nice.
> – Yes. Mrs Brown, I'd like you to meet Miss Jennifer Adams.
> – How do you do, Miss Adams.
> – Pleased to meet you.
> – You know my husband, don't you, Mr Smith? Darling, this is Mr Smith's friend, Miss Adams.
> *Plus familièrement :*
> – Hi, Sue, thanks for the invitation.
> – Hi, Bill, it's great to see you.
> – Sue, this is my friend Jenny.
> – Hi there! Oh no, there's the bell again! Listen, everybody's in the kitchen - I'll see you later.

Saying goodbye . Prendre congé

bye-bye!	au revoir! ; salut!
cheerio! *(Br)*	salut!
goodbye	au revoir
good night	bonne nuit
night-night	bonne nuit
see you (soon)	à bientôt
see you later	à plus tard

Wishing people well . Souhaits et vœux

all the best!	bonne chance!
best wishes	tous mes vœux
cheers! *(Am : here's to you!)*	à la vôtre/tienne!
congratulations!	félicitations!
good luck!	bonne chance!
Happy Birthday!	bon anniversaire!

Happy New Year!	bonne année!
Merry Christmas!	joyeux Noël!
welcome!	bienvenue!
your (very) good health!	à votre santé!

Polite expressions . *Formules de politesse*

to apologize	s'excuser
bless you!	à vos/tes souhaits!
excuse me!	pardon!
madam *(Am : ma'am)*	madame
pardon!	pardon!
pardon (me)!	excusez-moi!
please	s'il vous plaît
sir	monsieur
sorry!	pardon! ; désolé!
to thank	remercier

I beg your pardon	je vous demande pardon
don't mention it	de rien ; je vous en prie
not at all	il n'y a pas de quoi
no thanks, no thank you	non merci
thanks!	merci!
thank you (very much)!	merci (beaucoup)!
yes please	oui s'il vous plaît
you're welcome!	il n'y a pas de quoi!

PERSONAL DETAILS

Identity . *L'identité*

Voir aussi
**Describing
People**

address	adresse
age	âge
birthday	anniversaire
to be called	s'appeler
Christian name	prénom
to come• from	venir de
date of birth	date de naissance
divorced	divorcé
family name	nom de famille
female	de sexe féminin
forename	prénom
gender	sexe
initials	initiales
to live	habiter
male	de sexe masculin
marital status	situation de famille
married	marié
Miss	Mademoiselle
Mr	M. (Monsieur)
Mrs	Mme (Madame)
Ms	Mme/Mlle
name	nom
nationality	nationalité
place of birth	lieu de naissance
postcode *(Am :* zip code)	code postal
separated	séparé
sex	sexe
single	célibataire

surname	nom de famille
telephone number	numéro de téléphone
unmarried	célibataire
widow *(n)*	veuve
widower *(n)*	veuf

what's your name?	comment vous appelez-vous/t'appelles-tu?
my name is ...	je m'appelle ...
how old are you?	quel âge avez-vous/as-tu?
I am ... (years old)	j'ai ... ans
I was born in ...	je suis né à /en ...
I grew up in ...	j'ai grandi à/en ...
I live at ...	je vis à ...

Tune in!

– Can I just take a note of your name and address?
– Yes, my name is Paul Phillips and I live at 22 Rose Terrace, Appleford.
– Fine. Now, can I have your date and place of birth?
– It's twelve, ten, seventy-four, and I was born in Bath.
– OK, I'll send you that information next week, then.

The family . *La famille*

adopted	adopté
aunt	tante
brother	frère
cousin	cousin(e)
dad(dy)	papa
daughter	fille
daughter-in-law *(pl -s-in-law)*	belle-fille
elder	aîné *(si deux seulement)*

Personal Details

eldest	aîné *(si plusieurs)*
family	famille
father	père
father-in-law *(pl -s-in-law)*	beau-père
foster parents	parents nourriciers
godfather	parrain
godmother	marraine
grandchild	petit-fils/petite-fille
grandchildren	petits-enfants
granddad *(Am : grandaddy)*	grand-papa ; pépé
granddaughter	petite-fille
grandfather	grand-père
grandma *(Am : granny)*	grand-maman ; mémé; mamie
grandmother	grand-mère
grandpa	papy
grandparents	grands-parents
grandson	petit-fils
great-grandfather	arrière-grand-père
great-grandmother	arrière-grand-mère
husband	mari
mother	mère
mother-in-law *(pl -s-in-law)*	belle-mère
mum(my) *(Am : mom(my))*	maman
nephew	neveu
niece	nièce
older	plus âgé
only child	enfant unique
orphan	orphelin(e)
parents	parents
relation, **relative**	parent(e)

single parent	père/mère célibataire
sister	sœur
son	fils
son-in-law *(pl -s-in-law)*	gendre
stepdaughter	belle-fille
stepfather	beau-père
stepmother	belle-mère
stepson	beau-fils
twins	jumeaux(-elles)
uncle	oncle
wife	femme ; épouse
younger	plus jeune
the youngest	le/la plus jeune
the baby of the family	le petit dernier/la petite dernière
to get on (well)	(bien) s'entendre

Tune in!

– Have you got any brothers and sisters?
– Yeah, I've got two sisters, worse luck!
– Are they older or younger than you?
– Older - I'm the baby of the family. They're always telling me what to do, it's dreadful! What about you?
– I'm an only child. I wish I had two sisters!
– Oh no, you're really lucky!

Relationships . *Liens et relations*

<u>**acquaintance**</u>	connaissance
best man	témoin
boyfriend	petit ami ; copain
bride	mariée
bridegroom	marié

bridesmaid	témoin *(femme)*
couple	couple
<u>engaged</u>	fiancé
<u>engagement</u>	fiançailles
fiancé(e)	fiancé(e)
friend	ami(e)
friendship	amitié
girlfriend	petite amie ; copine
lover	amant
to marry	épouser
partner	conjoint(e) ; ami(e) *(avec qui on vit)*
wedding	mariage

to be• friends/friendly with	être ami avec
to fall• in love (with sb)	tomber amoureux (de qqn)
to get• divorced	divorcer
to get• married	se marier
to go• out with	sortir avec
to live alone/on one's own	vivre seul
to live together	vivre ensemble
to live with	vivre avec
to split• up	se séparer

Filling in forms • *Formulaires*

block capitals	majuscules
to <u>complete</u>	remplir
to fill in	remplir
form	formulaire
to sign	signer
signature	signature

Describing Things

General . *Généralités*

article	article
to compare	comparer
comparison	comparaison
covered in ...	couvert de ...
to describe	décrire
description	description
to differ (from)	être différent (de)
difference	différence
different	différent
kind	sorte
like	comme
mixture	mélange
more or less	plus ou moins
object	objet
the same (as)	la même chose (que)
to seem	sembler
similar	semblable
sort	genre ; sorte
stuff	choses
there is/are	il y a
thing	chose
thingamajig	truc
type	sorte ; genre
variety	diversité
various	divers
what's it like?	comment est-il/elle?
what does it look like?	à quoi ressemble-t-il/elle?

Describing Things

it's kind/sort of ...	il /elle est plutôt ...
it's a type of ...	c'est une sorte de ...
it looks ...	ça me semble/paraît ...
it looks like ...	on dirait ... ; ça ressemble à ...
it seems ...	ça a l'air ...

<u>**attractive**</u>	séduisant
average	moyen
beautiful	beau
clean	propre
common	ordinaire
dirty	sale
disgusting	dégoûtant
extraordinary	extraordinaire
horrible	affreux
incredible	incroyable
lovely	ravissant
modern	moderne
mysterious	mystérieux
new	nouveau ; neuf
normal	normal
old-fashioned	démodé
ordinary	ordinaire
strange	étrange
ugly	laid
unusual	inhabituel
useful	utile
useless	inutile ; inutilisable
usual	habituel

hard	dur
rough	rugueux

sharp	tranchant ; pointu
smooth	lisse
soft	mou ; doux
texture	texture *(sensation au toucher)*

Shape & size . *Formes et dimensions*

big	grand ; gros
circle	cercle
curved	courbe ; arrondi
deep	profond
enormous	énorme
flat	plat
giant	géant
gigantic	gigantesque
high	haut
huge	énorme
large	grand ; spacieux
little	petit
long	long
low	bas
massive	énorme
medium	moyen
narrow	étroit
oval	ovale
pointed	pointu
rectangle	rectangle
round	rond
shape	forme
short	court
size	taille ; dimension(s)
small	petit

Describing Things

square	carré
straight	droit
tall	grand
thick	épais
thin	fin ; mince
tiny	minuscule
triangle	triangle
wide	large

what shape is it?	quelle forme a-t-il/elle?
how big/small is it?	de quelle grandeur est-il/elle?
it's bigger/smaller than ...	il/elle est plus grand/petit que ...
it's about/approximately ...	il/elle fait à peu près ...
they're exactly the same size	ils/elles sont de la même grandeur

Colour & pattern . *Les couleurs et les motifs*

black	noir
blue	bleu
brown	brun ; marron
green	vert
grey	gris
navy (blue)	bleu marine
orange	orange
pink	rose
purple	violet
red	rouge
white	blanc

yellow	jaune
bright	vif
checked	à carreaux
dark	sombre ; foncé
dull	terne
floral	à fleurs
light	clair
pale	pâle
pattern	motif
plain	uni
shade	ton
spotted	à pois
striped	à rayures
light/pale blue	bleu clair/pâle
dark red	rouge foncé

Materials . *Les matériaux*

Voir aussi
Nature,
Minerals &
resources

acrylic	acrylique
cardboard *U*	carton
cord(uroy)	velours côtelé
cotton	coton
denim	jean
<u>**fabric**</u>	tissu
fur	fourrure
lace *U*	dentelle
leather	cuir
material	matière
metal	métal
nylon	Nylon ®

Describing Things

paper	papier
plastic	plastique
polyester	polyester
rubber *U*	caoutchouc
silk	soie
stone	pierre
substance	substance
suede	daim
textile	textile
velvet	velours
wood	bois
wooden	en bois
wool	laine
woollen	en laine
artificial	artificiel
handmade	fait (à la) main
man-made	artificiel
natural	naturel
real	véritable
solid	solide
washable	lavable
waterproof *(adj)*	imperméable

Tune in!

– Did you see that horror film last night?
– No, what was it like?
– Oh, it was incredible! There was this huge monster -
it was absolutely enormous, bigger than this house! It
was all sort of green and covered in horrible spots and
it had these great long horns - like a bull or
something - you should have seen it, it was so ugly -
ugh!
– So was it a good film, then?
– Oh, I don't know, I couldn't watch it!

DESCRIBING PEOPLE

People . *Les êtres humains*

Voir aussi
**Personal
Details**

adolescent *(n/adj)*	adolescent(e)
adult *(n/adj)*	adulte
baby	bébé
boy	garçon
chap *(Am : guy)*	type
child *(pl **children**)*	enfant
elderly	âgé
fellow	type
gentleman *(pl **-men**)*	monsieur
girl	fille
grown-up	grande personne
individual	individu
to know	connaître
lady	dame
man *(pl **men**)*	homme
middle-aged	qui a la cinquantaine
old	vieux ; âgé
people	gens
person	personne
teenager	adolescent(e)
toddler	tout petit (enfant) ; bambin (qui commence à marcher)
woman *(pl **-men**)*	femme
young	jeune
youth	jeune homme

Physical characteristics . *L'apparence physique*

appearance	apparence ; aspect
<u>**attractive**</u>	séduisant

Describing People

bald	chauve
beard	barbe
beautiful	beau
blond	blond
complexion	teint
dark	brun ; foncé
fair	blond
fat	gros
freckles	taches de rousseur
good-looking	beau
hair *U*	cheveux
handsome	beau
moustache	moustache
old	vieux
pretty	joli
short	petit
skinny	maigre
slim	mince
tall	grand
thin	mince
ugly	laid
wrinkle	ride

to have⁺ blue/green/brown eyes
avoir les yeux bleus/verts/marron
to have⁺ black/blond/brown/red hair
avoir les cheveux noirs/blonds/châtains/roux

Personality & behaviour . *La personnalité, le comportement*

absent-minded	distrait
ambitious	ambitieux
amusing	amusant

anxious	inquiet
arrogant	arrogant
bad	méchant
bad-tempered	qui a mauvais caractère
to behave	se conduire
brave	courageux
calm	calme
character	caractère
charming	charmant
cheerful	joyeux ; gai
clever	intelligent
conceited	vaniteux ; prétentieux
crazy	fou
cruel	cruel
decisive	décidé
enthusiastic	enthousiaste
friendly	amical
funny	drôle ; amusant
generous	généreux
gentle	doux
good-natured	facile à vivre
intelligent	intelligent
kind	gentil ; aimable
lazy	paresseux
mean	méchant ; mesquin
modest	modeste
nasty	méchant
naughty	vilain ; coquin
nervous	nerveux
nice	gentil
optimist *(n)*	optimiste
optimistic	optimiste

Describing People

pessimist *(n)*	pessimiste
pessimistic	pessimiste
polite	poli
quiet	calme ; silencieux
<u>**rude**</u>	impoli ; grossier
(self-)<u>confident</u>	assuré ; sûr de soi
<u>**sensible**</u>	sensé ; raisonnable
<u>**sensitive**</u>	sensible
serious	sérieux
shy	timide
silly	bête
stupid	stupide
sweet	gentil
well-behaved	sage
wicked	mauvais ; méchant

to have• good manners	avoir de bonnes manières
to have• a bad temper	avoir mauvais caractère
to have• a good sense of humour	avoir le sens de l'humour

he's a fool/an idiot	quel idiot/imbécile
he's/she's good fun	il est/elle est très drôle

Tune in!

> – I hear you've got a new boyfriend. What's he like?
> – Well, he's tall and slim, and he's got dark hair and the most beautiful blue eyes you've ever seen! He's ever so handsome!
> – Wow, he sounds amazing! But is he nice too?
> – Oh yes, absolutely charming and really good fun.
> – He hasn't got a twin by any chance?

Expressing Yourself

Feelings & emotions . *Sentiments et émotions*

amazed	ébahi ; stupéfait
anger	colère
angry	en colère
<u>**annoyed**</u>	mécontent ; fâché
anxious	anxieux
ashamed	honteux
astonished	étonné ; stupéfait
astonishment	étonnement ; surprise
to calm down	se calmer
to cheer up	réconforter
delighted	ravi
depressed	déprimé
disappointed	déçu
disappointment	déception
eager	avide ; impatient
embarrassed	embarrassé ; gêné
to enjoy o.s.	s'amuser
envious	envieux
to envy	envier
excited	excité ; agité
excitement	excitation ; agitation
fear	peur
to feel✦	se sentir
feeling	sentiment
furious	furieux
glad	content
grateful	reconnaissant
happiness	bonheur

happy	heureux
hate	haine
to hate	détester
hope	espoir
to hope	espérer
jealous	jaloux
joy	joie
love	amour
to love	aimer
miserable	malheureux
mood	humeur
need	besoin
to need	avoir besoin de
pity	pitié
pleased	content
pleasure	plaisir
pride *U*	fierté
proud	fier
rage	rage ; fureur
to regret	regretter
sad	triste
sadness *U*	tristesse
satisfied	satisfait
shame	honte
shock	coup ; choc
surprise	surprise
to surprise	surprendre
surprised	étonné ; surpris
terrified	terrifié
terror *U*	terreur
unhappy	malheureux
upset	contrarié ; triste

to want	vouloir
to wish	souhaiter
worried	inquiet
worry	inquiétude
to worry	(s')inquiéter
to be• afraid	avoir peur
to be• bored	s'ennuyer
to be•/fall• in love	être/tomber amoureux
to be• fed up	en avoir marre
to be• frightened	avoir peur
to be• in a good/bad mood	être de bonne/ mauvaise humeur
to be• in despair	être désespéré
to be• shocked	être choqué
to be• sorry	être désolé
to feel• sorry for sb	plaindre qqn
to go• through the roof	piquer une crise
to hurt• sb's feelings	faire de la peine à/blesser qqn
to look forward to sthg	attendre qqch avec impatience
I miss you	tu me manques

Tune in!

> – You'll never guess - Sally Black's getting married!
> – Really? Gosh, that's a bit of a surprise!
> – You're telling me - I'm shocked! She only met the chap last week! Of course, she's absolutely delighted.
> – And what do her parents feel about it?
> – Well, her Dad went through the roof - you can imagine! But I'm sure he'll calm down eventually.

Expressing emotion . *Exprimer ses sentiments*

to blush	rougir
to burst • out laughing	éclater de rire
to burst • into tears	fondre en larmes
to cry	pleurer
to cry out	s'écrier
to express	exprimer
to groan	grogner
to laugh	rire
laughter *U*	rire(s)
scream	cri
to scream	crier
sigh	soupir
to sigh	soupirer
smile	sourire
to smile	sourire

Suggestions & orders . *Suggérer et ordonner*

to <u>advise</u>	conseiller
to be • allowed (to)	avoir l'autorisation (de)
to allow	permettre
to forbid •	interdire
forbidden	interdit
to force	forcer
to insist	insister
to let •	permettre
order	ordre
to order	ordonner
permission	permission

Communiquer

to permit	permettre
to recommend	recommander
request	demande
to request	demander
to suggest	suggérer
suggestion	suggestion
to warn	prévenir ; avertir
warning	avertissement
be quiet!	silence! ; tais-toi!
get up!	debout!
keep quiet!	tais-toi!
stand up!	debout!
if I were you ...	à votre place ...
you'd better ...	vous feriez mieux de ...
you ought to ...	vous devriez ...
you're supposed to ...	vous êtes censés ...
would you kindly ...	veuillez avoir la gentillesse de ...
would you like to ...?	voulez-vous ...? ; aimeriez-vous ...?
what/how about ...?	et si on ... ? ; pourquoi pas ...?
why don't we ...?	et si on ...?
would you rather ...?	préféreriez-vous ...?
I don't mind	ça m'est égal
I'd rather ...	je préfère ...
I'd rather not	j'aime mieux pas
it's all the same to me	ça m'est égal
it doesn't matter	ça ne fait rien

it's up to him/her (to decide)	c'est à lui/elle de décider
that suits me fine	ça me convient parfaitement

Likes & dislikes . *Les goûts et les dégoûts*

to admire	admirer
to adore	adorer
to approve of sthg	approuver qqch
awful	affreux
bad	mauvais
best	meilleur ; le mieux
better	meilleur
boring	ennuyeux
brilliant	super ; génial
to decide	décider
decision	décision
to detest	détester
to disapprove of sthg	désapprouver qqch
to dislike	ne pas aimer
dreadful	épouvantable
dull	ennuyeux
to enjoy	aimer
excellent	excellent
exciting	passionnant
fantastic	sensationnel ; fantastique
favourite	préféré
funny	drôle
good	bon ; bien
great	super
horrible	affreux

interested	intéressé
interesting	intéressant
to like	aimer
to loathe	haïr
to love	aimer
lovely	adorable ; ravissant
nice	agréable
pleasant	agréable
to prefer	préférer
rather (than)	plutôt (que)
super	formidable
superb	magnifique
terrible	épouvantable
unpleasant	désagréable
wonderful	merveilleux
worse	pire
worst	pire ; le pire
to be• fond of	aimer
to be• interested in	s'intéresser à
to be• keen on	être passionné de
to fancy doing sthg	avoir envie de faire qqch
to feel• like doing sthg	avoir envie de faire qqch
to make• up one's mind	se décider
do you mind if …?	ça vous dérange si …?
I can't bear/stand …	je ne supporte pas …
I can't be bothered	ça ne me dit rien

Tune in!

> – What d'you fancy doing tonight, then?
> – Well, how about going to a concert? The Sprats are playing - they're really great!
> – Oh no, I can't stand them, they're terrible! Anyway, I can't be bothered going out. Why don't we just stay in and watch telly?
> – Oh, not again - it's so boring! I'd much rather go out.
> – Well, all right, I don't mind, as long as it's not The Sprats!

Discussions . Échanger des idées

to accept	accepter
according to	d'après
advantage	avantage
to agree	être d'accord
to answer	répondre
to <u>argue</u>	argumenter
to believe	croire
certain	certain
to claim that …	prétendre que …
clear	clair
conclusion	conclusion
<u>confusing</u>	déroutant
to contradict	contredire
to convince	convaincre
to criticize	critiquer
debate	débat
disadvantage	désavantage
to disagree	ne pas être d'accord
to discuss	discuter
discussion	débat
to explain	expliquer

fact	fait
false	faux
<u>**issue**</u>	sujet
matter	sujet *(de conversation)*
objection	objection
opinion	opinion
personally	personnellement
to persuade	persuader
point	point
point of view	point de vue
position	position
problem	problème
to refer to	faire référence à
to reject	rejeter
to reply	répondre
to refuse	refuser
right	juste
subject	sujet *(de conversation)*
to sum up	résumer
sure	sûr
true	vrai
truth	vérité
view	avis
wrong	mal ; faux

to be◆ right/wrong	avoir raison/tort
to be◆ for/against	être pour/contre
to be◆ in favour of	être pour ; être partisan de
what's your opinion?	qu'en pensez-vous?
what do you think?	qu'en pensez-vous?

as far as I'm concerned	en ce qui me concerne
I believe/think ...	à mon avis ... ; je pense/ crois que ...
in the first/second place	premièrement/ deuxièmement
in my opinion	à mon avis
I suppose ...	je suppose ...
on the contrary	au contraire
the pros and cons	le pour et le contre
with respect, ...	sauf votre respect, ...

Tune in!

> – So, Minister, what's your answer to this problem?
> – Well my party's position is quite clear. We utterly reject the view that this is a serious problem. We don't believe that's true at all.
> – But, with respect, Minister, you have to accept the figures ...
> – On the contrary, I'm convinced these figures are completely wrong. Let me just explain ...

Having an argument . Désaccords et conflits

apology	excuse
to apologize	s'excuser
to argue	se disputer
to blame sb for sthg	reprocher qqch à qqn
dispute	querelle
to fall• out	se fâcher ; se brouiller
fight	dispute ; bagarre
to fight•	se battre
to forgive•	pardonner
to insult	insulter

to shout	crier
to swear•	jurer

to get• out of bed on the wrong side	se lever du pied gauche
to have• a row (about sthg)	se disputer (à propos de qqch)
to lose• one's temper	se mettre en colère
to pick a fight	chercher la bagarre

get lost!	va/allez au diable!
go away!	va-t-en!/allez-vous-en!
how dare you!	comment oses-tu/osez-vous?
it's your fault	c'est (de) ta faute
nonsense! *U*	sottises!
ridiculous!	ridicule!
rubbish! *(Am :* baloney!*)*	quelle blague!
shut up!	tais-toi!/taisez-vous!
sorry!	désolé!
stop it!	arrête(z)!
what a cheek/nerve!	quel culot/toupet!

Tune in!

– Are you in a bad mood again?
– No, of course not - don't be ridiculous!
– All right, there's no need to shout.
– I'm not shouting. Stop trying to pick a fight!
– You're the one that's trying to pick a fight. What's up - did you get out of bed on the wrong side this morning?

MIND AND BODY

Parts of the body . *Les parties du corps*

Voir aussi
Health

ankle	cheville
arm	bras
back	dos
bone	os
bottom	derrière
breast	sein
calf	mollet
chest	poitrine
elbow	coude
figure	silhouette
finger	doigt
fist	poing
flesh	chair
foot *(pl* **feet***)*	pied
genitals	organes génitaux
hand	main
heel	talon
hip	hanche
joint	articulation
knee	genou
knuckle	jointure du doigt
leg	jambe
limb	membre
muscle	muscle
nail	ongle
nerve	nerf
nipple	mamelon
rib	côte

shoulder	épaule
side	côté
skin	peau
spine	colonne vertébrale
thigh	cuisse
thumb	pouce
toe	orteil ; doigt de pied
vein	veine
waist	taille
wrist	poignet
cheek	joue
chin	menton
ear	oreille
eye	œil
eyebrow	sourcil
eyelash	cil
eyelid	paupière
eyes	yeux
face	figure
forehead	front
gums	gencives
hair *U*	cheveux
head	tête
jaw	mâchoire
lip	lèvre
mouth	bouche
neck	cou
nose	nez
skull	crâne
teeth	dents
tongue	langue

throat	gorge
tooth *(pl* **teeth)**	dent
brain	cerveau
heart	cœur
kidneys	reins
liver	foie
lung	poumon
stomach	estomac ; ventre

Physical functions . *La vie du corps*

asleep	endormi
awake	éveillé
to blink	cligner des yeux
to blow• one's nose	se moucher
to breathe	respirer
to catch•	attraper
to hit•	frapper
to hold•	tenir
hunger	faim
to jump	sauter
to kick	donner un coup de pied (à)
to kiss	embrasser
to kneel• (down)	s'agenouiller
to lift	soulever
to move	bouger
to nod one's head	faire un signe de tête
to point to sthg	montrer qqch du doigt
to pull	tirer
to push	pousser
to run•	courir
to shake• one's head	secouer la tête

to sit• down	s'asseoir
sleep	sommeil
to sleep•	dormir
to sneeze	éternuer
to snore	ronfler
snoring *U*	ronflements
to speak•	parler
speech *U*	parole
to stand•	être debout
to stand• up	se lever
to stare at	regarder fixement
to swallow	avaler
to sweat	transpirer
thirst	soif
to throw•	lancer
tired	fatigué
to turn (a)round	se retourner
voice	voix
to wake• up	se réveiller
to walk	marcher
to wave	faire signe de la main
to whisper	chuchoter
to wink	cligner des yeux
to yawn	bâiller
to be• able to	pouvoir ; être capable de
to be• awake	être réveillé
to be• cold/hot	avoir froid/chaud
to be• hungry	avoir faim
to be• sleepy	avoir sommeil
to be• thirsty	avoir soif
to be• tired	être fatigué

feeling	sensation
to hear•	entendre
hearing *U*	ouïe
to look at sthg	regarder qqch
odour	odeur
to see•	voir
the senses	les sens
sight *U*	vue
smell *U*	odeur
to smell•	sentir
sound	bruit
taste *U*	goût
to taste	goûter
touch *U*	toucher
to touch	toucher

The mind . *L'esprit*

Voir aussi **Expressing Yourself**	**conscious (of)**	conscient (de)
	doubt	doute
	to doubt	douter
	dream	rêve
	to dream•	rêver
	fantasy	imagination ; fantasme
	to forget•	oublier
	idea	idée
	to imagine	imaginer
	intellectual	intellectuel
	to know•	savoir
	memory	mémoire
	mental	mental
	mind	esprit

to notice	remarquer
to realize	se rendre compte de
to recognize	reconnaître
to remember	se souvenir de
subconscious	subconscient
to suppose	supposer
to think•	penser
thought	pensée
unconscious	inconscient
to understand•	comprendre
to wonder	se demander
to have• **a nightmare**	faire un cauchemar
to intend to do sthg	avoir l'intention de
	faire qqch

Tune in!

– Stop yawning, for goodness' sake! Didn't you sleep well last night?
– What? Oh no, I had this terrible nightmare - I can't remember much about it. Anyway, then I woke up and couldn't get back to sleep again because of your snoring.
– Don't be silly! I don't snore - you must've been dreaming!

HEALTH

Life cycle . *Le cycle de la vie*

Voir aussi
**Describing
People**

alive	vivant
to be• born	naître
to bring• up	élever
childhood	enfance
dead	mort
death	mort
to die	mourir
to grow• old	vieillir
to grow• up	grandir
life *(pl -ves)*	vie
to live	vivre
middle age	la cinquantaine
old age	vieillesse
youth *U*	jeunesse

Health & illness . *Santé et maladie*

Voir aussi
**Mind and
Body**

ache	douleur
to ache	faire mal
acne *U*	acné
AIDS	sida
allergy	allergie
asthma	asthme
blind	aveugle
cancer	cancer
cold	rhume
cough	toux
to cough	tousser

cripple	infirme
deaf	sourd
depression	dépression
diabetic	diabétique
diet	régime
disability	invalidité
disabled	handicapé
disease	maladie
to feel• dizzy	avoir des vertiges
dumb	muet
to faint	s'évanouir
fever	fièvre
flu	grippe
hay fever *U*	rhume des foins
health	santé
healthy	en bonne santé
heart attack	crise cardiaque
ill	malade
illness	maladie
infection	infection
infectious	contagieux
longsighted	hypermétrope
lump	grosseur
mentally handicapped	handicapé mental
mentally ill	atteint d'une maladie mentale
pain	douleur
painful	douloureux
paralysed	paralysé
pregnant	enceinte
serious	grave
to shake•	trembler
shortsighted	myope

Health

sick	malade
sickness U	maladie
sore	douloureux
spot	bouton
stroke	attaque (d'apoplexie)
to suffer	souffrir
swollen	enflé
temperature	température
toothache	mal de dents
unhealthy	maladif
unwell	souffrant
to vomit	vomir
well	bien portant

to be• allergic to sthg	être allergique à qqch
to be• in good/poor health	être en bonne/ mauvaise santé
to be• in pain	avoir mal
to be• sick	vomir
to catch• a cold	attraper un rhume
to have• the flu	avoir la grippe
to have• one's period	avoir ses règles
to have• a baby	avoir un bébé
to have• a headache	avoir mal à la tête
to have• a stomach upset	avoir l'estomac dérangé
to have• a temperature	avoir de la fièvre
to have• backache	avoir mal au dos
to wear• glasses/contact lenses	porter des lunettes/des lentilles
how are you feeling?	comment vous sentez-vous?

fine/not bad/terrible/very well	bien/assez bien/mal/très bien
what's the matter?	qu'est-ce qu'il y a?
what's wrong?	qu'est-ce qui ne va pas?
I feel terrible/awful	je me sens vraiment mal

Tune in!

> – You don't look at all well - what's the matter?
> – I've got terrible back trouble. It's really sore.
> – Oh, I know a good cure for backache. It's an old-fashioned remedy of my grandmother's. First you get some nettles and then ...
> – Er, well, thanks, but I think I'll just go and see the doctor first!

Accidents & injuries . Accidents et blessures

to bleed•	saigner
to break• one's leg	se casser une jambe
broken	cassé
bruise	bleu
to bump one's head	se cogner la tête
burn	brûlure
to burn• o.s.	se brûler
cut	coupure
to cut• o.s.	se couper
fracture	fracture
help!	au secours!
to help	aider
hurt	blessé
to hurt• (o.s.)	(se) blesser ; (se) faire mal
to injure (o.s.)	(se) blesser

<u>injured</u>	blessé
to rescue	secourir
to slip	glisser
to sprain one's wrist	se fouler le poignet
wound	blessure
to be* unconscious	être sans connaissance
to have* an accident	avoir un accident

The health services . Les services de santé

ambulance	ambulance
<u>appointment</u>	rendez-vous
blood donor	donneur(-euse) de sang
blood test	examen du sang
casualty ward	service des urgences
chemist's *(Am : pharmacy)*	pharmacie
clinic	clinique
dentist	dentiste
diagnosis *(pl -ses)*	diagnostic
district nurse *(Br)*	infirmière à domicile
doctor	médecin
GP (General Practitioner)	médecin généraliste
health centre	centre médico-social
homeopathic	homéopathique
hospital	hôpital
intensive care	réanimation
maternity ward	maternité
medical	médical
mental hospital	hôpital psychiatrique

midwife *(pl -ves)*	sage-femme
National Health Service	service national de santé

> *Créé en 1948, le service national de santé britannique garantit la gratuité des soins médicaux dans les hôpitaux ainsi que dans les cabinets de médecins généralistes (GPs).*

nurse	infirmier(-ère)
nursing home	maison de santé/de repos
operating theatre	salle d'opération
optician	opticien(-enne)
outpatients'	service de consultation externe
patient	malade
<u>**physician**</u>	médecin
<u>**prescription**</u>	ordonnance
psychiatrist	psychiatre
psychologist	psychologue
specialist	spécialiste
surgeon	chirurgien
surgery	cabinet (de consultation)
(Am : doctor's office)	
therapist	thérapeute
thermometer	thermomètre
waiting room	salle d'attente
ward	salle ; service
X-ray	radio(graphie)

to have• one's eyes tested	se faire examiner la vue

Treatment . *Les soins médicaux*

antibiotics	antibiotiques
antiseptic	antiseptique
bandage	bandage ; pansement
care *U*	soins
to care for	soigner
crutches	béquilles
<u>**cure**</u>	remède
to <u>cure</u>	guérir
dentures	dentier
dressing	pansement
false teeth	fausses dents
filling	plombage
first aid *U*	premiers soins
glasses	lunettes
to heal	guérir
to improve	aller mieux ; s'améliorer
injection	piqûre
to look after	s'occuper de
<u>**medicine**</u>	médicament
to nurse	soigner
ointment	pommade
operation	opération
oxygen	oxygène
painkiller	antalgique
pill	pilule
plaster	plâtre
to recover (from sthg)	guérir (de qqch) ; se remettre (de qqch)
remedy	remède
to <u>rest</u>	se reposer

to stay in bed	rester au lit
sticking plaster *(Am : Band-Aid ®)*	sparadrap
tablet	cachet
transplant	greffe
to treat	traiter
treatment	traitement
walking stick	canne
wheelchair	fauteuil roulant

to feel• a twinge (of pain)	avoir un élancement
to get• better/worse	aller mieux/moins bien
to have• a tooth out	se faire arracher une dent
to have• an operation (for sthg)	se faire opérer (de qqch)
to have• one's arm in a sling	avoir le bras en écharpe

Tune in!

> – Doctor, I've got this dreadful pain in my back.
> – I see. And where exactly is it painful?
> – Just here, Doctor. Ouch, it hurts every time I move.
> – And did you injure it - have you had a fall or something?
> – Well, now you come to mention it, I did feel a slight twinge at rugby training the other night.
> – Well, that's it. Now then, take two of these pills three times a day and remember, no more rugby for the time being!

AT HOME

Houses . L'habitat

accommodation	logement
apartment	appartement
bedsit *(Am : studio apartment)*	chambre meublée
block of flats *(Am : apartment building)*	immeuble
building	bâtiment ; immeuble
bungalow	bungalow
converted	aménagé
cottage *(Br)*	petite maison
council house *(Br)*	≈ HLM
detached house	maison individuelle
downstairs	en bas
dwelling	habitation

bungalow

cottage

detached house

farmhouse	ferme
first floor *(Am : second floor)*	premier étage
flat *(Am : apartment)*	appartement
furnished	meublé
ground floor *(Am : first floor)*	rez-de-chaussée
home	chez-soi ; maison ; foyer
house	maison
to live	habiter
lodgings	logement ; chambre meublée
luxury	de luxe
mansion	manoir
modernized	modernisé
property	propriété
self-contained	indépendant
semidetached (house) *(Am : duplex)*	maison jumelée

semidetached

storey	étage
tenement	immeuble
terraced house	maison attenante aux maisons
(Am : row house*)*	voisines

terraced houses

> *Rangée de maisons à l'architecture identique, accolées les unes aux autres. Beaucoup de **terraced houses** sont, à l'origine, comme les corons français, des logements ouvriers.*

tower block *(Am :* skyscraper*)*	tour (d'habitation)
unfurnished	non meublé
upstairs	en haut

building society *(Am :* building and loan association*)*
≈ société de crédit immobilier

> *Désigne une société de prêts immobiliers qui propose en plus des services bancaires; ces sociétés sont pour les Britanniques synonymes d'accession à la propriété.*

estate agent *(Am :* real estate agent*)* agent immobilier
landlady	logeuse
landlord	propriétaire
to let•	louer *(propriétaire)*
mortgage	emprunt-logement

to move house	déménager
to move in	emménager
to own	posséder
owner	propriétaire
rent	loyer
to rent	louer *(locataire)*
resident	habitant(e)
to settle	s'établir ; s'installer
to share	partager
tenant	locataire
for sale	à vendre
to let	à louer

Outside the house . *L'extérieur de la maison*

aerial *(Am : antenna)*	antenne
back	derrière
balcony	balcon
bell	sonnette
bin	poubelle
brick	brique
<u>**concrete**</u> *U*	béton
door	porte
doormat	paillasson
drain	canalisation
drainpipe	tuyau d'écoulement
drive	allée
dustbin *(Am : trashcan)*	poubelle
entrance	entrée
extension	pièce ajoutée à une maison
fence	clôture

At Home

front	devant
front door	porte d'entrée
garage	garage
gate	portail
key	clé
lift *(Am : elevator)*	ascenseur
lock	serrure
to lock	fermer à clé
porch	porche
roof	toit
satellite dish	antenne parabolique
staircase	escalier
(a flight of) stairs	escalier
step	marche
to unlock	ouvrir
wall	mur
window	fenêtre
window box	jardinière

to call the lift	appeler l'ascenseur
to climb the stairs	monter l'escalier
to knock (at the door)	frapper (à la porte)
to ring• the bell	sonner (à la porte)
to wipe one's feet	s'essuyer les pieds

The garden • *Le jardin*

Voir aussi **Nature**, Plants

to dig•	creuser
flowerbed	plate-bande
garden *(Am : yard)*	jardin
greenhouse	serre
hedge	haie

hosepipe	tuyau d'arrosage
lawn	gazon
lawnmower	tondeuse à gazon
overgrown	envahi par les mauvaises herbes
path	allée
patio	patio
shears	cisailles
shed	remise
spade	bêche
sprinkler	arroseur
trowel	déplantoir
weeds	mauvaises herbes
wheelbarrow	brouette
to cut• the grass	tondre le gazon
to mow the lawn	tondre le gazon
to weed the garden	désherber le jardin

Fixtures, fittings. Electroménager, agencement

bannister	rampe
blind	store
<u>**carpet**</u>	tapis ; moquette
ceiling	plafond
central heating	chauffage central
cupboard	placard
curtains *(Am : drapes)*	rideaux
decoration	décoration intérieure
doorknob	poignée
double-glazing	double vitrage
drawer	tiroir
electricity	électricité
fitted carpet *(Am : wall-to-wall carpet)*	moquette

At Home

floor	sol
furniture *U*	meubles
fuse	fusible
gas	gaz
handle	poignée
heater	radiateur
heating	chauffage
lamp	lampe
lampshade	abat-jour
light	lumière
light bulb	ampoule
lighting *U*	éclairage
lino(leum)	lino(léum)
mat	carpette
meter	compteur
mirror	miroir
pipe	tuyau
plaster	plâtre
plug	prise (de courant) *(mâle)*
plumbing	plomberie
power	courant *(électrique)*
radiator	radiateur
rug	petit tapis
socket	prise (de courant) *(murale)*
switch	interrupteur
to switch off	éteindre
to switch on	allumer
tiles	carreaux
to turn off	fermer ; éteindre
to turn on	ouvrir ; allumer
wall	paroi

to pull/draw• the curtains fermer les rideaux

Rooms . *Les pièces*

attic	grenier
basement	sous-sol
bathroom	salle de bains
bedroom	chambre (à coucher)
cellar	cave
conservatory	véranda
guestroom	chambre d'amis
hall	entrée
kitchen	cuisine
living room	salon
loft	grenier
lounge *(Br)*	salon
sitting room *(Br)*	salon
spare room	chambre d'amis
study	bureau
toilet	toilettes

Tune in!

– I hear you've bought a house. Lucky you! What's it like?
– Well, it's just an ordinary three-roomed flat really - sitting room and two bedrooms - plus kitchen and bathroom, of course. It's great though, it's got central heating, double glazing, a fitted kitchen - the whole works!
– And do you have a garden?
– Er, no, just a window box. We're on the fifteenth floor!

Living room & dining room . *Le salon et la salle à manger*

armchair	fauteuil
bed-settee *(Br)*	canapé-lit
bookcase	bibliothèque
chair	chaise
clock	horloge
coal fire	feu de cheminée *(au charbon)*
coffee table	table basse
couch	canapé
cushion	coussin
dining room	salle à manger
dinner set	service de table
fire	feu
fireplace	cheminée
gas fire *(Br)*	radiateur à gaz
hearth	foyer
hi-fi	chaîne hi-fi
mantelpiece	dessus de cheminée
napkin	serviette (de table)
ornament	bibelot
picture	tableau
place mat	set de table
pot plant	plante d'appartement
record player	électrophone
rocking chair	fauteuil à bascule
settee *(Br)*	canapé
shelf *(pl -ves)*	étagère
sideboard	buffet
sofa *(Br)*	canapé

sofabed	canapé-lit
speakers	haut-parleurs
standard lamp *(Am : floor lamp)*	lampadaire
stereo	chaîne stéréo
table	table
tablecloth	nappe
television	télévision
three-piece suite	salon comprenant un canapé et deux fauteuils
vase	vase

Kitchen . *La cuisine*

Voir aussi
Food and Drink

blender	mixer
bottle opener	décapsuleur
bowl	bol
bread bin *(Am : breadbox)*	boîte à pain
breadboard	planche à pain
bread knife	couteau à pain
<u>**casserole**</u>	cocotte
chopping board	planche à découper
coffee pot	cafetière
colander	passoire
cooker *(Am : stove)*	cuisinière
corkscrew	tire-bouchon
crockery U	vaisselle
cup	tasse

cup & mug

At Home

cutlery *U*	couverts
dessertspoon	cuillère à dessert
dish	plat
dishwasher	lave-vaisselle
fitted kitchen	cuisine intégrée
food mixer	mixer
fork	fourchette
freezer	congélateur
fridge *(Am : refrigerator)*	frigo
frying pan	poêle
<u>**glass**</u>	verre
grill	gril
ironing board	planche à repasser
jug	pichet
kettle	bouilloire

kettles

kitchen units	éléments de cuisine
knife *(pl -ves)*	couteau
ladle	louche
microwave (oven)	four à micro-ondes
mug	tasse
oven	four
pan	casserole
plate	assiette
pot	casserole
(rubbish) bin *(Am : (trash) bin)*	poubelle
saucepan	casserole

saucer	soucoupe
scissors	ciseaux
sink	évier
sink unit	bloc-évier
soup plate	assiette à soupe
soup spoon	cuillère à soupe
spin-dryer	essoreuse
spoon	cuillère
stool	tabouret
tablespoon	cuillère de service
tap *(Am : faucet)*	robinet
teapot	théière

teapot   *coffee pot*

tea set	service à thé
teaspoon	petite cuillère
tin opener *(Am : can opener)*	ouvre-boîte
toaster	grille-pain
tumble-dryer	sèche-linge
washing machine *(Am : washer)*	lave-linge

Bedroom . *La chambre à coucher*

alarm clock	réveil
bed	lit
bedding	literie
bed linen	draps de lit
bedside table	table de nuit
bedspread	dessus-de-lit
blanket	couverture

At Home

bunk beds	lits superposés
chest of drawers	commode
(coat) hanger	cintre
cot *(Am : crib)*	lit d'enfant
cover	couverture
double bed	grand lit
dressing table	coiffeuse
duvet	couette
king-size bed	grand lit *(environ 1,95 m de large)*
mattress	matelas
pillow	oreiller
pillowcase	taie d'oreiller
quilt	édredon
radio alarm	radio-réveil
sheet	drap
single bed	lit d'une personne
wardrobe	armoire

Bathroom . La salle de bains

bathroom cabinet	armoire de toilette
bath(tub)	baignoire
bubble bath	bain moussant
electric razor	rasoir électrique
facecloth *(Am : washcloth)*	gant (de toilette)
lavatory	toilettes
medicine cabinet	armoire à pharmacie
razor	rasoir
razor blade	lame de rasoir
sanitary towel	serviette hygiénique
(Am : sanitary napkin)	
shampoo	shampooing

shaver	rasoir électrique
shaving foam	mousse à raser
shower	douche
shower gel	gel douche
shower unit	douche
sink	évier
soap	savon
sponge	éponge
tampon	tampon
toilet	toilettes
toilet paper *U*	papier hygiénique
toiletries	articles de toilette
toilet roll	rouleau de papier (hygiénique)
toothbrush	brosse à dents
toothpaste	dentifrice
towel	serviette (de bain)
washbasin	lavabo
WC	W.-C.

Daily routine . *La vie quotidienne*

to be⁺ in a hurry	être pressé
to brush	brosser
to brush/clean one's teeth	se brosser/se laver les dents
to brush one's hair	se brosser les cheveux
to change a nappy	changer une couche
(Am : to change a diaper*)*	
to comb one's hair	se peigner
to come⁺ home	rentrer à la maison
daily	tous les jours
to get⁺ dressed	s'habiller

to dry (o.s.)	(se) sécher
to dry one's hair	se sécher les cheveux
to fall• asleep	s'endormir
to feed• the baby	allaiter le bébé
to feed• the cat	donner à manger au chat
to get• undressed	se déshabiller
to get• ready	se préparer
to get• up	se lever
to go• to bed	aller se coucher
to go• to sleep	s'endormir
to go• to work/school	aller au travail/à l'école
to have• a bath/shower	prendre un bain/une douche
to have• breakfast	prendre le petit déjeuner
to have• dinner	dîner
to have• lunch	déjeuner
to make• (the) dinner	préparer le dîner
to set• the alarm	mettre le réveil
to shampoo one's hair	se faire un shampooing
to shave	se raser
to sleep• in	ne pas se réveiller à l'heure ; faire la grasse matinée
to stay at home	rester à la maison
to undress	se déshabiller
to wake• up	(se) réveiller
to wash o.s.	se laver

Housework. Travaux ménagers

bleach	eau de Javel
brush	brosse
to clean	nettoyer

dishcloth	lavette
dish towel	torchon (à vaisselle)
dust *U*	poussière
to dust	épousseter
duster	chiffon à poussière
dustpan	pelle (à poussière)
to help	aider
Hoover ® *(Am : vacuum cleaner)*	aspirateur
iron	fer à repasser
to iron	repasser
laundry	linge
mess	désordre
pot scrubber	tampon à récurer
to press	repasser
rubber gloves	gants de caoutchouc
shovel	pelle
to spin-dry	essorer (à la machine)
spring-cleaning *U*	grand nettoyage de printemps
steam iron	fer à vapeur
to sweep•	balayer
tea towel *(Br)*	torchon (à vaisselle)
tidy	en ordre
to tidy (up)	ranger ; mettre de l'ordre
vacuum cleaner	aspirateur
to wash	laver
washing line	corde à linge
washing powder *(Am : washing detergent)*	lessive
washing-up liquid	produit pour la vaisselle
(Am : dishwashing detergent)	
to wash up	laver la vaisselle

to do• the dishes	faire la vaisselle
to do• the dusting	faire la poussière
to do• the hoovering	passer l'aspirateur
(Am : to do the vacuuming*)*	
to do• the ironing	repasser
to do• the washing	faire la lessive
to do• the washing-up *(Br)*	faire la vaisselle
to hang• out the washing	étendre le linge
to make• the bed	faire le lit
to take• the rubbish out	sortir les poubelles
(Am : to take• the garbage out*)*	
to take• turns at doing sthg	faire qqch chacun (à) son tour
it's your turn to ...	c'est à toi/à vous de ...

Tune in!

– Right, whose turn is it to do the washing-up?
– Oh, it must be yours, I think. I did it last time and I've just finished tidying up in here.
– What? Well, you could've fooled me! Call this tidy? I mean, just look at the mess of this room!
– Er, well, maybe I'll just go and do the dishes after all!

DIY & repairs . *Le bricolage et les réparations*

to decorate	décorer
drawing pin *(Am : thumbtack)*	punaise
(electric) drill	perceuse (électrique)
to fix	réparer
glue	colle
hammer	marteau
to hang•(up)	suspendre ; accrocher
ladder	échelle
to mend	raccommoder
nail	clou
needle	aiguille
paint	peinture
paintbrush	brosse ; pinceau
pin	épingle
to repair	réparer
safety pin	épingle de sûreté
saw	scie
screw	vis
screwdriver	tournevis
Sellotape ® *(Am : Scotch tape ®)*	Scotch ®
spanner *(Am : wrench)*	clé
to stick•	coller
string	ficelle
tape	ruban
tape measure	mètre (à ruban)
thread	fil
wallpaper	papier peint
to wallpaper	tapisser

YOUR HOME TOWN

Around town . *Le paysage urbain*

Voir aussi
Travel

area	région ; zone
avenue	avenue
bridge	pont
building	bâtiment ; construction ; immeuble
building site	chantier
busy	animé
canal	canal
castle	château
cemetery	cimetière
central	central
centre	centre
church	église
city	ville
city/town centre	centre-ville
clock	horloge
community centre	foyer municipal
<u>**convenient**</u>	commode ; pratique
corner	coin
crowd	foule
derelict	en ruines ; délabré
district	quartier ; arrondissement
fountain	fontaine
graffiti	graffiti
the high street *(Am :* Main Street*)*	la rue principale
housing estate	cité ; lotissement

Désigne, dans le cadre de la planification urbaine en Grande-Bretagne, un ensemble de logements, immeubles ou maisons, généralement construits à la même période. Ils peuvent être privés ou appartenir à la municipalité.

housing scheme *(Am : housing project)*   cité

A la différence de housing estate, housing scheme ne désigne que les logements appartenant à la municipalité.

inhabitant	habitant(e)
inner city	vieux quartiers pauvres (du centre)
kerb	bord du trottoir
lamppost	réverbère
lane	ruelle ; voie
library	bibliothèque
litter *U*	détritus
litterbin *(Am : litter basket)*	poubelle
local	local
main	principal
monument	monument
neighbour	voisin(e)
neighbourhood	voisinage
next door	à côté ; d'à côté
office block	immeuble de bureaux
(Am : office building)	
outskirts	banlieue
park	parc
passerby *(pl -sby)*	passant(e)
pavement *(Am : sidewalk)*	trottoir
pedestrian precinct	zone piétonnière
(Am : pedestrian zone)	
residential	résidentiel
road	route
shop	boutique ; magasin
shopping centre	centre commercial
side street	petite rue ; rue transversale
slums	taudis

Your Home Town

<u>square</u>	place
statue	statue
street	rue
street light	réverbère
suburb	banlieue
tower	tour
town	ville
town hall	mairie
traffic	circulation
urban	urbain
village	village
war memorial	monument aux morts

to go• into town	aller en ville
to live in the city/a village	vivre en ville/dans un village

Tune in!

– I see they're digging up the roads near the Town Hall.
– Yes, they're making the High Street into a pedestrian precinct - and about time too, if you ask me. It'll be much safer without all that traffic.
– While they're at it, they should pull down some of those derelict buildings. They look dreadful!
– Oh yes, in my day the town centre was completely different. I remember when …

Services • *Les services*

Voir aussi
Communications & Technology; Health

advice centre cellule d'information *(à caractère social)*

childminder *(Am :* baby-sitter*)* gardienne d'enfants

to dial 999 *(Am :* 911*)* ≈ appeler police-secours

dustman *(pl* **-men***) (Am :* garbage man*)* éboueur

emergency urgence

the emergency services ≈ police-secours

fire incendie

fire brigade (sapeurs-)pompiers
   (Am : fire department*)*

fire engine voiture de pompiers

fireman *(pl* **-men***)* pompier

fire station caserne de pompiers

gents' *(Am :* men's room*)* hommes *(toilettes)*

home help *(Br)* aide ménagère

information office bureau de renseignements

ladies' *(Am :* ladies' room*)* dames *(toilettes)*

milkman *(pl* **-men***)* laitier

police police

policeman *(pl* **-men***)* agent de police

police station commissariat

policewoman *(pl* **-women***)* femme policier

public conveniences toilettes publiques
   (Am : rest rooms*)*

refuse collection ramassage d'ordures
   (Am : garbage collection*)*

social services services sociaux

to have• the milk/papers delivered
   se faire livrer le lait/les journaux à domicile

NATURE ◢

The universe • *L'univers*

full moon	pleine lune
galaxy	galaxie
Jupiter	Jupiter
Mars	Mars
Mercury	Mercure
moon	Lune
Neptune	Neptune
planet	planète
Pluto	Pluton
Saturn	Saturne
space	espace
star	étoile
sun	Soleil
Uranus	Uranus
Venus	Vénus

Geographical features • *La géographie physique*

bay	baie
beach	plage
cliff	falaise
coast	côte
country *U*	campagne
countryside	campagne
desert	désert
earth *U*	terre
earthquake	tremblement de terre
east	est ; à/vers l'est
estuary	estuaire

field	champ
forest	forêt
ground *U*	sol
high tide	marée haute
hill	colline
hilly	vallonné
inland	intérieur
island	île
jungle	jungle
lake	lac
land	terre
landscape	paysage
low tide	marée basse
marsh	marais
meadow	prairie ; pré
moor	lande
mountain	montagne
mountainous	montagneux
mud	boue
muddy	boueux
nature *U*	nature
north	nord ; au/vers le nord
peninsula	péninsule
plain	plaine
pond	étang
river	rivière
rock	rocher
rocky	rocheux
rural	rural
sand	sable
sandy	sablonneux
sea	mer

shore	rivage
sky	ciel
soil	terre ; sol
south	sud ; au/vers le sud
stream	ruisseau
tide	marée
valley	vallée
volcano	volcan
water	eau
wave	vague
west	ouest ; à/vers l'ouest
wood	bois
world	monde

Weather, climate & seasons . *Temps, climat et saisons*

air	air
atmosphere	atmosphère
autumn *(Am :* fall*)*	automne
avalanche	avalanche
blizzard	tempête de neige
breeze	brise
bright	clair
clear	clair
to clear up	s'éclaircir
cloud	nuage
cloudy	nuageux
cold	froid
cool	frais
damp	humide
degree	degré

drizzle	crachin
drought	sécheresse
dry	sec
dull	gris ; couvert
fine	beau
flood	inondation
fog	brouillard
foggy	brumeux
fresh	frais
frost	gel
frozen	gelé
gale	coup de vent
hail *U*	grêle
hailstone	grêlon
heat	chaleur
heat wave	vague de chaleur
hot	chaud
humid	humide
hurricane	ouragan
ice *U*	glace
lightning *U*	foudre
to melt	fondre ; faire fondre
mild	doux
mist	brume
misty	brumeux
nice	beau
puddle	flaque
rain	pluie
to rain	pleuvoir
rainbow	arc-en-ciel
season	saison
shade *U*	ombre

Nature

shower	averse
sleet *U*	neige fondue
slush *U*	neige fondue *(par terre)*
snow	neige
to snow	neiger
snowball	boule de neige
snowdrift	congère
snowflake	flocon de neige
snowman *(pl -men)*	bonhomme de neige
snowstorm	tempête de neige
spring	printemps
storm	tempête
stormy	orageux
summer	été
sunny	ensoleillé
sunshine *U*	soleil
temperature	température
to thaw	fondre ; dégeler
thunder *U*	tonnerre
thunderstorm	orage
warm	chaud
weather forecast	météo
wet	humide
wind	vent
windy	venteux
winter	hiver
a flash of lightning	un éclair
it's freezing	il fait un froid glacial
it's frosty/icy	il gèle
it's pouring (rain)	il pleut à verse

it's raining	il pleut
the sun is shining	le soleil brille
the wind is blowing	le vent souffle ; il y a du vent

Tune in!

– Hello, dreadful weather, isn't it?
– Oh yes, it's been terrible all summer. Mind you, it's a bit milder today and the forecast said it was going to clear up.
– Oh, I never pay any attention to the forecasts - it'll be a few days yet before we see any sunshine.
– You're right, here's the rain again. Quick, it's going to pour!

Animals . *Les animaux*

badger	blaireau
to bark	aboyer
bat	chauve-souris
bear	ours
beast	bête
to bite•	mordre
bull	taureau
calf *(pl -ves)*	veau
camel	chameau
cat	chat
claw	griffe ; serre ; pince
coat	pelage ; poil
cow	vache
cub	petit *(d'un animal sauvage)*
deer *(pl inv)*	cerf
dog	chien

donkey	âne
elephant	éléphant
flock	troupeau *(d'animaux)* ; vol *(d'oiseaux)*
foal	poulain
fox	renard
frog	grenouille
fur *U*	fourrure
goat	chèvre
hare	lièvre
hedgehog	hérisson
herd	troupeau *(d'animaux)*
hoof *(pl* **-ves)**	sabot
horn	corne
horse	cheval
kitten	chaton
lamb	agneau
leopard	léopard
lion	lion
lioness	lionne
lizard	lézard
mare	jument
to miaow	miauler
mole	taupe
monkey	singe
mouse *(pl* **mice)**	souris
ox *(pl* **-en)**	bœuf
paw	patte
pet	animal familier
pig	cochon
pony	poney
puppy	chiot
to purr	ronronner

rabbit	lapin
rat	rat
to roar	rugir ; mugir
to scratch	griffer
sheep *(pl inv)*	mouton
sheepdog	chien de berger
snail	escargot
snake	serpent
squirrel	écureuil
tail	queue
tame	apprivoisé
tiger	tigre
toad	crapaud
trunk	trompe
tusk	défense *(d'éléphant etc.)*
wild	sauvage
wolf *(pl -ves)*	loup
zebra	zèbre

Birds . *Les oiseaux*

beak	bec
blackbird	merle
blue tit	mésange bleue
budgerigar, budgie	perruche
chicken	poulet
cock(erel)	coq
crow	corbeau
to crow	chanter *(coq)*
cuckoo	coucou
dove	colombe
duck	canard

Nature

eagle	aigle
falcon	faucon
feather	plume
to fly•	voler
goose *(pl geese)*	oie
hawk	faucon
hen	poule
to hoot	hululer
lark	alouette
magpie	pie
nest	nid
nightingale	rossignol
ostrich	autruche
owl	chouette ; hibou
parrot	perroquet
partridge *(pl -s OR inv)*	perdrix
peacock	paon
penguin	pingouin ; manchot
pheasant *(pl -s OR inv)*	faisan
pigeon	pigeon
robin	rouge-gorge
seagull	mouette
to sing•	chanter
sparrow	moineau
starling	étourneau
swallow	hirondelle
swan	cygne
swift	martinet
thrush	grive
wing	aile
to lay• **an egg**	pondre un œuf

Insects . *Les insectes*

ant	fourmi
bee	abeille
beetle	scarabée
bite	piqûre
to bite ◆	piquer
bluebottle	mouche bleue
butterfly	papillon
to buzz	bourdonner
caterpillar	chenille
centipede	mille-pattes
cockroach	cafard
daddy longlegs	faucheux
dragonfly	libellule
flea	puce
fly	mouche
mosquito	moustique
spider	araignée
spider's web	toile d'araignée
to sting ◆	piquer
wasp	guêpe

Fish & sea creatures . *Poissons et animaux aquatiques*

Voir aussi **Food & Drink**, Fish & seafood

crab	crabe
dolphin	dauphin
eel	anguille
fin	nageoire ; aileron
fish *(pl* -es *OR inv)*	poisson
goldfish *(pl* -es *OR inv)*	poisson rouge

Nature

jellyfish *(pl -es OR inv)*	méduse
octopus *(pl -puses OR -pi)*	pieuvre ; poulpe
seal	phoque
shark *(pl -s OR inv)*	requin
shoal	banc de poissons
squid *(pl -s OR inv)*	calmar ; encornet
starfish *(pl -es OR inv)*	étoile de mer
whale	baleine

Plants . *Les plantes*

acorn	gland
ash	frêne
bark	écorce
beech	hêtre
berry	baie
birch	bouleau
blossom	fleur
branch	branche
bud	bouton ; bourgeon
bush	buisson
chestnut	châtaigne
elm	orme
fir	sapin
foliage	feuillage
holly	houx
leaf *(pl -ves)*	feuille
oak	chêne
pine	pin
pinecone	pomme de pin
poplar	peuplier
root	racine

seed	graine
shrub	arbuste
sycamore	sycomore
tree	arbre
trunk	tronc
twig	petite branche
willow	saule
yew	if
bulb	bulbe ; oignon
buttercup	bouton d'or
carnation	œillet
crocus	crocus
daffodil	jonquille
daisy	pâquerette
dandelion	pissenlit
flower	fleur
grass *U*	herbe
heather	bruyère
ivy	lierre
lily	lis
moss	mousse
nettle	ortie
petal	pétale
plant	plante
pollen	pollen
poppy	pavot ; coquelicot
primrose	primevère
rose	rose
rose bush	rosier
snowdrop	perce-neige
stem	tige

sunflower	tournesol
thorn	épine
tulip	tulipe
violet	violette
weed	mauvaise herbe
wild flower	fleur sauvage
to bloom	fleurir ; éclore
to flower	fleurir
to grow◆	pousser
to turn brown	roussir
to wither	se faner ; se flétrir

Farming. *L'agriculture*

barley	orge
barn	grange
to breed◆	élever
cattle	bétail
combine harvester	moissonneuse-batteuse
corn *U*	blé ; maïs *(Am)*
crop	culture
dairy farming	industrie laitière
farm	ferme
farmer	agriculteur(-trice)
farmhand	ouvrier(-ère) agricole
farmland	terres cultivées
farm worker	ouvrier(-ère) agricole
farmyard	cour de ferme
fertilizer	engrais
fish farm	centre de pisciculture
free-range eggs	œufs de ferme
grain	grain

to grow ◆	cultiver
harvest	moisson
to harvest	moissonner
hay *U*	foin
to milk	traire
oats	avoine
organic farming	agriculture biologique
pesticide	pesticide
to plant	planter
to plough	labourer
poultry *U*	volaille
to rear	élever *(un animal)*
scarecrow	épouvantail
shepherd	berger
to sow ◆	semer
stable	écurie
straw	paille
tractor	tracteur
wheat *U*	blé

Minerals & resources . *Ressources et minéraux*

chalk *U*	craie
clay	argile
coal	charbon
copper	cuivre
diamond	diamant
energy	énergie
to extract	extraire
fuel	combustible
gas	gaz
gold *U*	or

granite	granit
iron *U*	fer
lead *U*	plomb
limestone	calcaire
marble	marbre
metal	métal
to mine (for)	extraire
mining *U*	industrie minière
oil	pétrole
<u>**ore**</u>	minerai
quarry	carrière
silver *U*	argent
steel *U*	acier
stone	pierre
timber	bois *(de construction)*
tin *U*	étain
uranium	uranium
zinc *U*	zinc

The environment . *L'environnement*

acid rain	pluie acide
to ban	interdire
biodegradable	biodégradable
bottle bank	conteneur de collecte du verre
campaign	campagne *(d'information)*
carbon dioxide	gaz carbonique
carbon monoxide	oxyde de carbone
to cause	causer
chemical *(n/adj)*	produit chimique ; chimique
conservation	conservation
to contaminate	contaminer

damage *U*	dégât(s)
to damage	abîmer
to destroy	détruire
destruction *U*	destruction
to disappear	disparaître
to dump	jeter
ecology	écologie
endangered species	espèce en voie de disparition
environmental/green issues	problèmes écologiques
environmentally friendly	sans danger pour l'environnement
exhaust fumes	gaz d'échappement
extinct	disparu
extinction *U*	extinction ; disparition *(d'espèces)*
to give• off	émettre
global warming	réchauffement de la terre
greenhouse effect	effet de serre
to harm	nuire à
harmful	nocif
leaded petrol *(Am :* leaded gas*)*	essence plombée
nature reserve	réserve naturelle
nuclear power	énergie nucléaire
oil slick	nappe de pétrole
ozone-friendly	préserve la couche d'ozone
ozone layer	couche d'ozone
to poison	empoisonner
poisonous	toxique
pollution	pollution
to pollute	polluer
to preserve	préserver

Nature

radiation	radiation
rain forest	forêt tropicale humide
recyclable	recyclable
to recycle	recycler
to save	sauver
sewage *U*	eaux usées
smoke *U*	fumée
to spread ◆	s'étendre
survival	survie
to survive	survivre
to threaten	menacer
toxic *(adj)*	toxique
unleaded petrol *(Am : unleaded gas)*	essence sans plomb
waste *U*	gaspillage
to waste	gaspiller

Tune in!

– Mum, I think we ought to start buying environmentally-friendly products - you know, like ozone-friendly aerosols and recyclable or bio-degradable bottles and …
– But all these things are more expensive, dear. We've got to try and save money.
– Oh, for goodness' sake, Mum, I'm talking about saving the Earth - the future of the planet!

Education

Schools . *L'école*

boarding school	pensionnat
comprehensive school *(Br)*	établissement secondaire d'enseignement général
grammar school *(Br)*	≈ lycée
nursery school	école maternelle ; jardin d'enfants
prep(aratory) school *(Br)*	école primaire privée
primary school *(Am : grade school)*	école primaire
public school *(Am : private school)*	école privée payante
school	école
secondary school *(Am : high school)*	lycée
senior secondary school *(Am : senior high school)*	collège d'enseignement secondaire
special school	établissement scolaire spécialisé
state school *(Am : public school)*	école publique

Comprehensive school : Désigne une école secondaire publique d'enseignement général. Plus de 90% des élèves fréquentent une *comprehensive school*.
Grammar school : Désigne une école secondaire publique ou privée, dont les élèves, sélectionnés sur concours ou dossier, suivront par la suite des études supérieures.
Prep(aratory) school (Br) : Ecole primaire privée qui prépare à l'admission en *public school*.
Public school : Un faux-ami, en Grande-Bretagne, les *public schools* sont des écoles secondaires privées, très sélectives. On les appelle aussi *independent schools*.
State school : Ecole primaire ou secondaire, publique, que l'on appelle *state school* par opposition à *public school*. En Grande-Bretagne, environ 93% des établissements scolaires sont des *state schools*.

Further education . L'enseignement supérieur et la formation continue

academy	académie ; école privée
adult education *U*	formation continue
<u>**college**</u>	établissement d'enseignement supérieur
evening classes, night school	cours du soir
higher education	enseignement supérieur
non-vocational	non professionnel
Open University *(Br)*	≈ Centre national d'enseignement par correspondance
polytechnic ...	

Désigne un établissement d'enseignement supérieur où les étudiants préparent une licence ou une maîtrise. Ces établissements proposent des études spécialisées (ingénierie, nouvelles technologies etc.). En Grande-Bretagne, nombre d'entre eux se sont récemment vu attribuer un statut identique à celui des universités.

university	université
vocational	professionnel

Staff & students . Enseignants et étudiants

classmate	camarade de classe
graduate	titulaire d'une licence ; diplômé(e)
headmaster	directeur ; principal
headmistress	directrice
head teacher	directeur(-trice) ; principal
(Am : principal*)*	
lecturer	professeur d'université
mature student *(Br)*	étudiant(e) plus âgé(e) que la moyenne

PhD student	étudiant(e) de troisième cycle
postgraduate *(n/adj)*	(étudiant(e)) de troisième cycle
professor	professeur *(en Grande-Bretagne, titulaire d'une chaire)*
pupil	élève
schoolboy	écolier
schoolchildren	écoliers
schoolgirl	écolière
student	étudiant(e)
teacher	enseignant(e) ; professeur
tutor	professeur particulier ; directeur(-trice) d'études
undergraduate	étudiant(e) qui prépare sa licence

At school, at university. En cours

absent	absent
to <u>attend</u>	assister à
attendance	présence
break	pause
class	classe
course	cours
curriculum	programme
department	département
education	éducation
to enrol	s'inscrire
enrolment	inscription
essay	rédaction ; dissertation
exercise	exercice
experiment	expérience

faculty	faculté
free period	heure de libre
grant	bourse
half term	congé de milieu de trimestre
homework *U*	devoirs
to learn•	apprendre
<u>**lecture**</u>	conférence ; cours (magistral)
lesson	leçon
to matriculate	s'inscrire
matriculation	inscription
period	heure (de cours)
playtime *(Am : recess)*	récréation
project	dossier
research	recherche
to research	faire des recherches (sur)
seminar	travaux dirigés
student loan *(Br)*	emprunt destiné à financer des études
to study	étudier
sum	addition
to teach•	enseigner
term	trimestre
timetable	emploi du temps
tuition *U*	cours
tutorial	travaux pratiques
to learn• **sthg (off) by heart**	apprendre qqch par cœur
to pay• **attention**	faire attention
to play truant	faire l'école buissonnière

Facilities & equipment . *Installations et matériel*

assembly hall	salle de réunion
campus	campus
canteen *(Am : cafeteria)*	cantine
classroom	(salle de) classe
dining hall	réfectoire
gym(nasium)	gymnase
hall of residence	résidence universitaire
(Am : dormitory)	
lab(oratory)	laboratoire
lecture theatre	amphi(théâtre)
playground	cour de récréation
refectory	réfectoire
students' union	association des étudiants
tuck shop *(Br)*	boutique à provisions
ballpoint (pen)	stylo-bille
biro ® *(Br)*	Bic ®
blackboard	tableau noir
book	livre
calculator	calculatrice
chalk *U*	craie
desk	bureau
dictionary	dictionnaire
duster	chiffon *(pour effacer le tableau)*
exercise book	cahier
felt-tip pen	stylo-feutre
fountain pen	stylo-plume
jotter	cahier ; bloc-notes
marker pen	marqueur

pen	stylo(-bille)
pencil	crayon
pencil case *(Am : pencil box)*	trousse
pencil sharpener	taille-crayon
rubber *(Am : eraser)*	gomme
ruler	règle
schoolbag	cartable
school uniform	uniforme scolaire
textbook	livre scolaire

Tune in!

– Well, how do you like university - is it better than school?
– Oh yes, I really love it! I've got lots of new friends and there are bands on at the students' union almost every night - it's great! If only we didn't have to attend so many lectures and do so many essays.
– Oh dear. It's a pity you can't write an essay on some of the bands you've seen!

Subjects . Les matières

algebra	algèbre
anatomy	anatomie
(ancient) Greek *U*	grec (ancien)
archeology	archéologie
arithmetic	arithmétique
arts	lettres
astronomy	astronomie
biology	biologie
business studies	études commerciales
chemistry	chimie
classics	lettres classiques
computing	informatique
dictation	dictée

engineering *U*	études d'ingénieur
English *(n)* *U*	anglais
French *(n)* *U*	français
geography	géographie
geology	géologie
geometry	géométrie
German *(n)* *U*	allemand
grammar *U*	grammaire
gym *U*	gymnastique
history	histoire
home economics	arts ménagers
humanities	sciences humaines
Latin	latin
mathematics *U*	mathématiques
maths *(Am :* math*)* *U*	maths
modern languages	langues vivantes
music	musique
philosophy	philosophie
physical education	éducation physique
physics *U*	physique
religious studies	instruction religieuse
science	science(s)
social sciences	sciences sociales
to spell ◆	épeler
spelling	orthographe
technical *(adj)*	technique
the three Rs	la lecture, l'écriture, l'orthographe

*Dans le cadre scolaire, abréviation qui renvoie aux trois R de l'expression **reading, writing and arithmetic** (savoir lire, écrire, et compter), et qui symbolise les connaissances de base qu'un élève doit acquérir.*

translation	traduction
woodwork	menuiserie
writing	écriture

Exams & qualifications . *Examens et diplômes*

A level *(Br)*	≈ baccalauréat

*Examens scolaires de fin d'études secondaires, les A levels (**Advanced levels**) sont plus spécialisés que le baccalauréat. Les élèves de **sixth form** (équivalent de la terminale) présentent entre deux et quatre matières approfondies lors d'études supérieures.*

answer	réponse
aural	oral
candidate	candidat
certificate	certificat
correct	juste
to correct	corriger
degree	licence
diploma	diplôme
entrance examination	examen d'entrée
exam(ination)	exam(en)
exam(ination) paper	épreuve
final exam	examen de dernière année
GCSE *(Br)*	examen scolaire

*Examen scolaire présenté par les élèves âgés de 15/16 ans, qui sanctionne la fin du 1er cycle d'enseignement secondaire. Le GCSE (**General Certificate of Secondary Education**) a remplacé le O level en 1988.*

to graduate	≈ obtenir sa licence/son diplôme
graduation	remise des diplômes
honours degree *(Br)*	≈ licence avec mention
IQ	Q.I.
mark	note
to mark	noter
mistake	erreur
oral	oral
to pass	réussir
practical *(adj)*	pratique
prize	prix
prizegiving (ceremony)	distribution des prix
qualified	diplômé ; qualifié
qualification	qualification
to qualify (as)	obtenir son diplôme (de)
question	question
report	bulletin (scolaire)
to resit• *(Am : to retake •)*	se représenter à
result	résultat
to revise	réviser
revision	révision
to swot *(Br)*	bûcher ; bosser
test	contrôle
thesis *(pl -ses)*	thèse
written	écrit

first-/	licence avec mention très bien/
second-/	avec mention bien/
third-class honours *(Br)*	sans mention
eight out of ten	huit sur dix

to be• **good/bad at**	être bon/mauvais en

Education

to be* hopeless at — être nul en

to be* top/bottom of the class — être le premier/ le dernier de la classe

to have* a degree (in) — être titulaire d'un diplôme (de)

to get* a pass mark — avoir la moyenne

to get* good/bad marks (in) — avoir de bonnes/ mauvaises notes (en)

to sit* an exam — se présenter à un examen

(Am : to take an exam)*

EMPLOYMENT

Careers & occupations . *Carrières et professions*

accountant	comptable
actor	acteur
actress	actrice
administrator	administrateur(-trice)
airhostess *(Am : air stewardess)*	hôtesse de l'air
architect	architecte
baker	boulanger
banker	banquier(-ère)
bricklayer	maçon
builder	entrepreneur ; maçon
bus driver	conducteur(-trice) de bus
businessman *(pl -men)*	homme d'affaires
businesswoman *(pl -women)*	femme d'affaires
butcher	boucher
caretaker	concierge
carpenter	charpentier
civil servant	fonctionnaire
cleaner	femme de ménage
clerk(ess)	employé(e)
dentist	dentiste
designer	dessinateur(-trice) ; styliste
doctor	docteur ; médecin
electrician	électricien
employment	emploi
engineer	ingénieur ; technicien
factory worker	ouvrier(-ère)
fashion designer	(grand(e)) couturier(-ère)

Employment

fireman *(pl -men)*	pompier
fisherman *(pl -men)*	pêcheur
gardener	jardinier(-ère)
grocer	épicier
hairdresser	coiffeur(-euse)
interpreter	interprète
job	métier ; travail
joiner	menuisier
journalist	journaliste
labourer	ouvrier(-ère)
lawyer	avocat(e) ; juriste ; notaire
librarian	bibliothécaire
lorry driver	conducteur(-trice) de poids lourd
(Am : truck driver)	
mechanic	mécanicien
miner	mineur
model	mannequin
nurse	infirmier(-ère)
occupation	profession ; métier
optician	opticien(-enne)
painter (and decorator)	peintre (décorateur)
pilot	pilote
plumber	plombier
policeman *(pl -men)*	agent de police ; policier
policewoman *(pl -women)*	femme policier
postman *(pl -men)*	facteur
postwoman *(pl -women)*	factrice
printer	imprimeur
profession	profession
racing driver	pilote de course
receptionist	réceptionniste
sailor	marin

salesman *(pl -men)*	vendeur
sales rep(resentative)	représentant(e)
saleswoman *(pl -women)*	vendeuse
scientist	scientifique *(personne)*
secretary	secrétaire
security guard	garde chargé de la sécurité
soldier	soldat
steward	steward
taxi driver	chauffeur de taxi
teacher	professeur
technician	technicien(-enne)
telephonist *(Am : switchboard operator)*	téléphoniste
trade	métier ; commerce
train driver	conducteur(-trice) de train
translator	traducteur(-trice)
typist	dactylo
undertaker	entrepreneur de pompes funèbres
vet(erinary surgeon)	vétérinaire
window cleaner	laveur de vitres
writer	écrivain

At work . *Au travail*

business	affaires
company	société
factory	usine
firm	firme ; compagnie
industry	industrie
mine	mine
office	bureau
oilrig	plate-forme pétrolière
shipyard	chantier naval

Employment

steelworks *(pl inv)*	aciérie
workplace	lieu de travail
apprentice	apprenti(e)
assistant *(n/adj)*	adjoint(e) ; assistant(e)
board of directors	conseil d'administration
boss	patron(-onne)
busy	occupé
career prospects	possibilités d'avancement
casual labour *U*	travail intermittent
chairman *(pl -men)*	président
chairperson	président(e)
chief *(n/adj)*	chef ; principal
colleague	collègue
<u>**deputy**</u> *(n/adj)*	adjoint(e)
desk	bureau *(mobilier)*
director	directeur(-trice)
duty	fonction
to employ	employer
employee	employé(e)
employer	employeur(-euse)
executive *(n)*	cadre
foreman *(pl -men)*	contremaître
freelance *(n/adj)*	collaborateur(-trice)
	indépendant(e) ; indépendant
full-time	à plein temps ; à temps complet
head (of)	chef (de)
junior *(adj)*	subalterne
machine	machine
management *U*	direction
manager(ess)	directeur(-trice)
managing director	directeur général

to operate	faire fonctionner
order	commande *(commerce)*
partner	associé(e)
part-time	à temps partiel
permanent *(adj)*	permanent
personnel U	personnel
promotion	promotion
responsibility	responsabilité
responsible (for)	responsable (de)
senior *(adj)*	supérieur
skilled	qualifié
staff U	personnel
successful	qui a du succès
supervisor	surveillant(e)
temporary	temporaire
tool	outil
to train	former
trainee	apprenti(e)
training U	formation
unskilled	non qualifié
work U	travail
to work	travailler
worker	travailleur(-euse)
to be• employed	être employé
to be• in charge (of)	être responsable (de)
to be• on/off duty	être/ne pas être de service
to be• promoted	monter en grade
to be• self-employed	travailler à son compte
to do• overtime	faire des heures supplémentaires

to go• out of business	fermer (*faire faillite*)
to serve an apprenticeship	faire un apprentissage
to work day/night shift	travailler de jour/ de nuit

Getting a job • *Chercher un emploi*

to accept	accepter
ad, advert(isement)	petite annonce
applicant	candidat(e)
application	demande d'emploi
application form	formulaire de demande d'emploi
to apply (for)	poser sa candidature (pour)
candidate	candidat(e)
closing date	date limite (de depôt)
CV (curriculum vitae)	C.V. (curriculum vitae)
(Am : résumé)	
experience	expérience
interview	entretien
to interview	faire passer un entretien
job centre *(Br)*≈	Agence nationale pour l'emploi
position	situation ; poste
post	poste
situations vacant	offres d'emploi
(Am : job vacancy)	
situations wanted	demandes d'emploi
(Am : job wanted)	
to turn down	refuser
to offer sb a job	offrir du travail à qqn

Pay & conditions . *Les conditions de travail*

badly paid	mal payé
bonus	prime
company car	voiture de fonction
conditions	conditions
contract	contrat
contribution	cotisation
to demand	exiger
<u>**dispute**</u>	conflit
earnings	salaire
expenses	frais
to fire	mettre à la porte
holiday pay	salaire dû pendant les vacances
(Am : vacation pay*)*	
income	revenu
income tax	impôt sur le revenu
maternity leave	congé de maternité
National Insurance *(Am :* Social Security*)* ...	

Désigne, en Grande-Bretagne, les cotisations sociales obligatoires versées à l'assurance maladie et à l'assurance chômage, ainsi qu'aux retraites payées par l'Etat. Mis en place en 1946 par les travaillistes, ce système est la clé de voûte du fameux 'Etat providence' britannique.

to negotiate	négocier
pay rise *(Am :* pay raise*)*	augmentation de salaire
perks	petits bénéfices
redundancy *(Am :* lay-off*)*	licenciement
to resign	démissionner
salary	salaire
settlement	accord

shop steward	délégué syndical
sick pay	indemnité de maladie
strike	grève
tax	impôt
trade union	syndicat
wage(s)	salaire
well-paid	bien payé
working hours	heures de travail

to be•/to go• on strike	être/se mettre en grève
to be• made redundant	être licencié
(Am : to be• laid off*)*	
to be• paid weekly/monthly	être payé à la semaine/au mois
to earn a living	gagner sa vie
to get• the sack *(Am :* to be• fired*)*	être renvoyé
to go• to arbitration	recourir à l'arbitrage
to hand in one's resignation	donner sa démission

Unemployment & retirement • *Chômage et retraite*

allowance	allocation
benefit	allocation
to claim	réclamer
Income Support *(Br)*	≈ aide sociale
old age pension	(pension de) retraite
(Am : retirement pension*)*	
pension	pension
pensioner	retraité(e)
rebate	dégrèvement ; réduction
to retire	prendre sa retraite

senior citizen	personne du troisième âge
social security	aide sociale ; Sécurité sociale
unemployment	chômage
unemployment benefit	allocation (de) chômage
to be• on the dole	être au chômage
(Am : to be• on welfare*)*	
to be• unemployed	être sans emploi/au chômage

Tune in!

– Oh look, here's an ad for a sales rep for Green's Frozen Foods. You should go for that - you've got the right qualifications and plenty of experience.
– Oh, I don't know… maybe … what's the salary like?
– It looks quite good - and you get a company car and a pension.
– That sounds all right, but … well … I'm not sure. Maybe I'll think about it. When's the closing date?
– Next week. Wait a minute, though, it says you have to be enthusiastic, and, above all, decisive!

FOOD & DRINK

Meals & cooking. *Les repas et la cuisine*

Voir aussi
At Home,
Kitchen,
Daily
Routine

afternoon tea *(Br)*	thé (de cinq heures)
breakfast	petit déjeuner
coffee break	pause-café
continental breakfast *(Br)*	petit déjeuner à la française
dessert	dessert
to dine	dîner
dinner	dîner
dinnertime	heure du dîner
English breakfast	petit déjeuner anglais
lunch	déjeuner
lunchtime	heure du déjeuner
main course/dish	plat principal
meal	repas
mealtime	heure du repas
side dish	plat d'accompagnement
supper	dîner
tea	thé ; goûter
teatime *(Br)*	heure du thé
to bake	cuire (au four)
bitter	amer
to boil	bouillir
to chop (up)	hacher
to cook	faire la cuisine ; faire cuire
cookbook, cookery book	livre de cuisine
to cut•	couper
to defrost	décongeler
delicious	délicieux

dish	plat
to eat ✦	manger
flavour	parfum ; goût
food	nourriture
frozen food(s)	surgelés
to fry	frire
to grate	râper
to grill *(Am : to broil)*	griller
health food(s)	aliments diététiques
to heat	chauffer
to help o.s. (to sthg)	se servir (de qqch)
ingredients	ingrédients
to mix	mélanger
mixture	mélange
oven	four
to peel	peler
portion	portion
recipe	recette
to roast	rôtir
salty	salé
to serve	servir
to simmer	mijoter
slice	tranche
to slice	couper en tranches
snack	casse-croûte ; en-cas
sour	aigre ; acide
starter	entrée
to stew	cuire en ragoût/à la casserole
to stir	remuer
to stuff	farcir
sweet	sucré
taste	goût

to taste sthg	goûter qqch
to taste of sthg	avoir un goût de qqch
tasty	savoureux
vegetarian *(n/adj)*	végétarien(-enne)
to be• hungry	avoir faim
to be• starving	être mort de faim
to be• on a diet	être au régime
to clear the table	débarrasser la table
to lay•/set• the table	mettre la table
to make• lunch	préparer le déjeuner

Tune in!

> – Mm, this is delicious! You must give me the recipe.
> – Oh, I didn't use a recipe. I just chopped up some celery, peppers and mushrooms and fried them with garlic and onion and then added the kidney beans. Very simple really.
> – But how did you make the sauce? - it's very tasty.
> – Oh, that was even simpler - I just opened a tin!

Meat • La viande

bacon	bacon
bacon and eggs	œufs au lard
beef *U*	bœuf
chicken	poulet
chicken breast	blanc de poulet
chop	côtelette
cold/cooked meat	viande froide/cuite
corned beef	corned-beef
cutlet	côtelette
duck	canard
game *U*	gibier
goose	oie

gravy	sauce (au jus de viande)
ham	jambon
hamburger	hamburger
kidneys	rognons
lamb	agneau
liver	foie
meat	viande
mince *(Am : hamburger) U*	viande hachée
mutton *U*	mouton
pork *U*	porc
<u>**rare**</u>**/medium/well-done**	saignant/à point/ bien cuit
roast beef/lamb	rôti de bœuf/d'agneau
sausage	saucisse
steak	bifteck
steak and kidney pie *(Br)*	tourte à la viande de bœuf et aux rognons
stew	ragoût
turkey	dinde
veal *U*	veau
venison *U*	venaison

Fish & seafood • *Poissons et fruits de mer*

cod *(pl inv)*	cabillaud
crab	crabe
fish *(pl -es OR inv)*	poisson
fish and chips	poisson frit avec des frites

Le "poisson-frites" est traditionnellement enveloppé dans du papier journal. On le commande dans un **(fish and) chip shop**, fast-food typiquement britannique.

Food & Drink

fish and chips

fish fingers *(Am :* fish sticks*)* — bâtonnets de poisson
haddock *(pl inv)* — églefin
herring *(pl* **-s** *OR inv)* — hareng
kipper — hareng fumé et salé
lobster — homard
mackerel *(pl inv)* — maquereau
mussels — moules
octopus *(pl* **-puses** *OR* **-pi)** — pieuvre
oysters — huîtres
plaice *(pl inv)* — carrelet
prawn — crevette (rose)
salmon *(pl inv)* — saumon
sardine — sardine
scampi — langoustines frites
shellfish *(pl inv)* — crustacés
shrimp — crevette
smoked fish — poisson fumé
sole *(pl inv)* — sole
squid *(pl* **-s** *OR inv)* — cal(a)mar
trout *(pl inv)* — truite
tuna (fish) — thon
whiting *(pl* **-s** *OR inv)* — merlan

110

ONE HUNDRED AND TEN

Vegetables • *Les légumes*

baked beans haricots blancs à la sauce tomate
baked potatoes pommes de terre au four

baked potato

beans	haricots
beetroot	betterave
broccoli	brocoli
brussels sprouts	choux de Bruxelles
cabbage	chou
carrot	carotte
cauliflower	chou-fleur
cauliflower cheese *(Br)*	gratin de chou-fleur
celery	céleri (à côtes)
chips *(Am : French fries)*	frites
corn-on-the-cob	épi de maïs
cucumber	concombre
green beans	haricots verts
green/red pepper	poivron vert/rouge
jacket potatoes	pommes de terre en robe des champs
kidney beans	haricots rouges
leek	poireau
lentils	lentilles
lettuce	laitue
mashed potatoes	purée de pommes de terre
mushroom	champignon
onion	oignon

organic vegetables	légumes biologiques
peas	petits pois
potato	pomme de terre
roast potatoes	pommes de terre rôties
salad	salade
spinach *U*	épinards
spring onion *(Am : scallion)*	oignon blanc
tomato	tomate
turnip	navet
vegetable *(adj)*	de légumes

Fruit & nuts • Fruits et noix

apple	pomme
apricot	abricot
avocado (pear)	avocat
banana	banane
blackcurrant	cassis
cherry	cerise
fruit *U*	fruit
<u>**grape**</u>	raisin
grapefruit	pamplemousse
kiwi fruit	kiwi
lemon	citron
melon	melon
orange	orange
peach	pêche
pear	poire
pineapple	ananas
<u>**raisin**</u>	raisin sec
raspberry	framboise
strawberry	fraise

tangerine	mandarine
watermelon	pastèque
a bunch of grapes	une grappe de raisin
(a piece of) fruit	(un) fruit
almond	amande
hazelnut	noisette
nut	noix
peanut	cacahuète
walnut	noix

Desserts . *Les desserts*

apple crumble *(Br)*	sorte de charlotte aux pommes croustillante
apple pie	tourte aux pommes
cheesecake	gâteau au fromage blanc
cream	crème
custard	crème anglaise
dessert	dessert
fresh cream	crème fraîche
ice cream	glace
jelly *(Am :* Jell-O ®)	gelée
pie	tarte
pudding	pudding ; dessert *(Br)*
sponge *(Am :* sponge cake)	≈ gâteau de Savoie
sweet	dessert
tart	tarte
trifle *(Br)*	≈ diplomate
whipped cream	crème fouettée ; Chantilly

General foodstuffs • *Les produits d'alimentation*

fat	matière grasse
low-fat	allégé
wholefoods	aliments complets
boiled egg	œuf à la coque
butter	beurre
cheese	fromage
cottage cheese	≈ fromage blanc (granuleux)
dairy produce U	produits laitiers
egg	œuf
fried egg	œuf sur le plat
margarine	margarine
omelette	omelette
poached egg	œuf poché
scrambled eggs	œufs brouillés
(semi-)skimmed milk	lait (demi-)écrémé
yoghurt	yaourt
bread U	pain

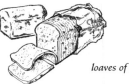

loaves of bread

breakfast cereal	céréale
brown/white bread U	pain bis/blanc
bun	petit pain au lait
cereal(s)	céréale
cornflakes	cornflakes
flour	farine

loaf *(pl -ves)* **(of bread)**	pain
muesli *(Am : granola)*	muesli
pancake	crêpe
pasta *U*	pâtes
porridge	porridge
rice	riz
roll	petit pain
sandwich	sandwich (de pain de mie)
scone *(Am : biscuit)*	sorte de petit pain au lait
sliced bread *U*	pain en tranches
soup	soupe ; potage
toast *U*	pain grillé
wholemeal bread *U*	pain complet
(Am : whole-wheat bread)	

biscuit *(Am : cookie)*	biscuit
cake	gâteau
chewing gum	chewing-gum
chocolate	chocolat
crisps *(Am : potato chips)*	chips
honey	miel
jam	confiture
marmalade	confiture d'oranges
pastry	pâtisserie
pastry *U*	pâte
pie	tourte ; tarte
to spread ♦	étaler
sugar	sucre
sweet *(Am : candy)*	bonbon

a bag/packet of crisps	un paquet de chips
a bar of chocolate	une tablette de chocolat
a box of chocolates	une boîte de chocolats

Food & Drink

a jar of jam	un pot de confiture
a packet of biscuits	un paquet de biscuits
(Am : a box of cookies)	
a tin of soup/sardines	une boîte de soupe/de
(Am : a can of soup/sardines)	sardines

Seasonings • *Épices et ingrédients*

cooking oil	huile
curry	curry
to flavour (with)	aromatiser (avec)
garlic *U*	ail
herbs	fines herbes
mayonnaise	mayonnaise
mint	menthe
mustard	moutarde
oil *U*	huile
olive oil	huile d'olive
parsley	persil
pepper	poivre
pickled onions	oignons macérés dans du vinaigre
salad dressing	vinaigrette
salt	sel
sauce	sauce
to season (with)	assaisonner (avec)
seasoning	assaisonnement
spices	épices
sunflower oil	huile de tournesol
tomato ketchup	ketchup
vinegar	vinaigre

Eating out • *Au restaurant, au café*

<table>
<tr><td>Voir aussi
Leisure</td><td>bar meal</td><td>repas servi dans un pub</td></tr>
<tr><td></td><td>bill</td><td>addition</td></tr>
<tr><td></td><td>café</td><td>snack</td></tr>
<tr><td></td><td>chef</td><td>chef</td></tr>
<tr><td></td><td>chef's special</td><td>spécialité du chef</td></tr>
<tr><td></td><td>coffee shop</td><td>cafétéria</td></tr>
<tr><td></td><td>dish of the day</td><td>plat du jour</td></tr>
<tr><td></td><td>fast food</td><td>fast-food</td></tr>
<tr><td></td><td>house wine</td><td>cuvée du patron</td></tr>
<tr><td></td><td>menu</td><td>menu ; carte</td></tr>
<tr><td></td><td>to order</td><td>commander</td></tr>
<tr><td></td><td>pub lunch (Br)</td><td>repas léger servi dans un pub</td></tr>
<tr><td></td><td>restaurant</td><td>restaurant</td></tr>
<tr><td></td><td>sandwich bar</td><td>snack-bar</td></tr>
<tr><td></td><td>self-service</td><td>self-service</td></tr>
<tr><td></td><td>service</td><td>service</td></tr>
<tr><td></td><td>service charge</td><td>service (coût)</td></tr>
<tr><td></td><td>service (not) included</td><td>service (non) compris</td></tr>
<tr><td></td><td>set meal</td><td>menu</td></tr>
<tr><td></td><td>snack bar</td><td>snack-bar</td></tr>
<tr><td></td><td>speciality</td><td>spécialité</td></tr>
<tr><td></td><td>takeaway (Am : takeout)</td><td>(magasin qui vend des) plats à emporter</td></tr>
<tr><td></td><td>tip</td><td>pourboire</td></tr>
<tr><td></td><td>waiter</td><td>garçon</td></tr>
<tr><td></td><td>waitress</td><td>serveuse</td></tr>
<tr><td></td><td>wine list</td><td>carte des vins</td></tr>
<tr><td></td><td>to ask for the bill</td><td>demander l'addition</td></tr>
<tr><td></td><td>to be served</td><td>être servi</td></tr>
</table>

to book a table   réserver une table

> – Are you ready to order now, ladies?
> – Oh yes, could we have two soups to start with, please?
> – Certainly. And what would you like for the main course? I can recommend the Chef's Special - it's lamb and tomatoes with herbs, cooked in the oven.
> – Oh yes, let's have that, shall we, Marjorie? Two Chef's Specials, then… and two apple pie and ice cream to follow.

Drinks • *Les boissons*

alcohol	alcool
alcoholic	alcoolisé
bar	bar
beer	bière
bitter *(Br)*	bière brune *(à forte teneur en houblon)*
bottle	bouteille
brandy	cognac
champagne	champagne
cider	cidre
cocktail	cocktail
coffee	café
Coke ®	Coca ®
drink	boisson
to drink•	boire
dry	sec ; brut
to fill	remplir
fizzy	pétillant ; gazeux
fruit juice	jus de fruit
gin	gin
glass	verre

ground/instant coffee	café moulu/soluble
herb tea	infusion
hot chocolate	chocolat chaud
ice cube	glaçon
juice	jus
lager *(Br)*	bière blonde
lemonade	limonade ; boisson gazeuse
liqueur	liqueur
milk	lait
mineral water	eau minérale
non-alcoholic	non alcoolisé
orange juice	jus d'orange
orange squash *(Am : orangeade)*	orangeade
port	porto
to pour	verser
pub *(Br)*	pub

pub

Le **pub (public house)** joue un rôle important dans la
vie sociale des Britanniques. Il est divisé en deux par-
ties, l'ambiance du **public bar** est plus populaire tandis
que le **lounge bar**, où l'on peut s'asseoir, est
généralement plus calme. Les **licensing hours**
désignent les heures auxquelles un pub est autorisé à
servir des boissons alcoolisées : généralement de 11h à
23h.

Food & Drink

refreshments	rafraîchissements
rum	rhum
sherry	sherry
soda (water)	eau de Seltz
soft drink	boisson non alcoolisée
sparkling wine	vin mousseux
spirit	alcool fort
sweet	doux
table wine	vin de table
tea (with milk/lemon)	thé (au lait/au citron)
tonic water	Schweppes ®
tray	plateau
vodka	vodka
whisky	whisky
wine bar	bar
to be• thirsty	avoir soif
a pint of beer	≈ un demi
a can of Coke ®	un Coca ® (en boîte)
black/white coffee	café noir/café au lait
(Am : black/light coffee)	
red/rosé/white wine	vin rouge/rosé/blanc

SHOPPING ◢

Shops • *Magasins et boutiques*

baker's	boulangerie
bakery	boulangerie
bookshop	librairie
butcher's	boucherie
chain store	grand magasin
chemist's *(Am : pharmacy)*	pharmacie

> En Grande-Bretagne, les pharmacies ne dispensent pas seulement des médicaments mais aussi des articles de toilette, du parfum, du maquillage et même quelquefois des produits diététiques. On peut en outre la plupart du temps y faire développer des photos.

children's wear	vêtements pour enfants
clothes shop	magasin de vêtements
confectioner's	confiserie
dairy	laiterie
delicatessen	≈ épicerie fine

> C'est un mot d'origine germanique désignant un traiteur-épicerie fine qui propose des produits généralement importés.

department	rayon
department store	grand magasin
domestic appliances	appareils ménagers
draper's *(Am : dry-goods store)*	magasin de tissus
dry cleaner's	teinturerie/pressing
fishmonger's *(Br)*	poissonnerie
florist's	magasin de fleurs

Shopping

greengrocer's *(Br)*	magasin de fruits et légumes
groceries	provisions
grocer's	épicerie
hairdresser's	salon de coiffure
hardware	quincaillerie
ironmonger's *(Br)*	quincaillerie
jeweller's	bijouterie
kiosk	kiosque
ladies' wear	vêtements pour femmes
launderette *(Am : laundromat)*	laverie automatique
market	marché
men's wear	vêtements pour hommes
newsagent's	marchand de journaux
(Am : newsdealer)	
off-licence *(Br)*	magasin de vins et spiritueux

Un *off-licence* est un magasin où l'on peut acheter des boissons alcoolisées. Ces magasins restent ouverts jusqu'à 22 h, du lundi au samedi. Ce terme fait référence à la loi britannique sur la vente d'alcool (**licensing laws**).

optician's	opticien *(magasin)*
record shop *(Am : record store)*	magasin de disques
retail	vente au détail
self-service	libre-service

shoeshop *(Am : shoe store)*	magasin de chaussures
shop *(Am : store)*	magasin ; boutique
shopping centre/mall	centre commercial
showroom	salle d'exposition
stall *(Am : stand)*	éventaire
stationer's	papeterie
store	magasin
supermarket	supermarché
sweetshop *(Am : candy store)*	≈ confiserie
tobacconist's	(bureau de) tabac
toyshop *(Am : toy store)*	magasin de jouets
wholesale	vente en gros

Going shopping • *Faire des courses*

bargain	occasion ; affaire
basket	panier
to buy•	acheter
cash desk	caisse
cheap	bon marché
checkout	caisse
to close	fermer
closed	fermé
cost	coût
to cost•	coûter
counter	comptoir
customer	client
cut-price	à prix réduit
dear	cher
discount	rabais
expensive	cher

Shopping

free	gratuit
goods	articles ; marchandises
merchandise *U*	marchandises
open	ouvert
to open	ouvrir
opening hours	heures d'ouverture
plastic bag	sac en plastique
present	cadeau
price	prix
quality	qualité
queue *(Am :* line*)*	queue
to queue *(Am :* to stand in line*)*	faire la queue
receipt	reçu
reduction	remise
sale	vente ; soldes
second-hand	d'occasion
to sell•	vendre
to shop	faire des courses
shop assistant *(Am :* salesperson*)*	vendeur(-euse)
shopkeeper *(Am :* storekeeper*)*	commerçant
shopping *U*	courses
shopping bag	sac à provisions
shopping basket	panier
shopping list	liste de provisions
special offer	offre spéciale
till	caisse
trolley *(Am :* shopping cart*)*	Caddie ®
window-shopping	lèche-vitrines
to wrap up	envelopper
to go• shopping	aller faire les courses
to do• the shopping	faire les courses

Tobacco & cigarettes • *Tabac et cigarettes*

ashtray	cendrier
cigar	cigare
cigarette	cigarette
(cigarette) lighter	briquet
to light•	allumer
match	allumette
non-smoker	non-fumeur
pipe	pipe
to smoke	fumer
smoker	fumeur(-euse)
smoking	tabagisme
tobacco	tabac

a packet of cigarettes un paquet de cigarettes
(Am : a pack of cigarettes)
can I have/have you got a light? vous avez du feu?
no smoking défense de fumer

Money • *Les moyens de paiement*

Voir aussi **Society**, Economy

account	facture ; compte
to afford	pouvoir s'offrir
bank	banque
bank account	compte en banque
bank book	livret de banque
banker's card *(Br)*	carte d'identité bancaire

Les *banker's cards* ou *cheque cards* ressemblent à des cartes de crédit. Les Britanniques doivent les présenter à chaque achat par chèque de manière à garantir les sommes jusqu'à £50 ou £100.

Shopping

bank manager	directeur d'agence bancaire
bank note	billet de banque
bill	facture
cash *U*	(argent) liquide
to cash	encaisser
cash dispenser	distributeur automatique de billets
cashier	caissier(-ère)
change *U*	monnaie
to change money	changer de l'argent
to charge	faire payer
to check	vérifier
cheque	chèque
chequebook	carnet de chèques
cheque card	carte d'identité bancaire
coin	pièce *(de monnaie)*
credit	crédit
credit card	carte de crédit
currency	devise
current account	compte courant
(Am : checking account*)*	
to deposit	déposer
deposit account	compte sur livret
(Am : savings account*)*	
Eurocheque	eurochèque
hire purchase (HP)	achat/vente à crédit
(Am : installment plan*)*	
to invest	investir
investment	investissement
loan	prêt
loss	perte
money	argent

overdraft	découvert
to pay *	payer
pence (p)	penny/pennies
penny	penny
pocket money	argent de poche
poor	pauvre
postal order *(Br)*	mandat postal
pound	livre (sterling)
profit	bénéfice
rich	riche
to save	faire des économies ; économiser
savings	économies
savings bank	caisse d'épargne
to spend *	dépenser
to transfer	virer
to withdraw *	retirer

to be * **broke**	être fauché
to be * **in credit**	être créditeur
to be * **in debt**	avoir des dettes
to be * **in the red**	être à découvert
to be * **short of money**	être à court d'argent
to be * **worth ...**	valoir ...
to make * **ends meet**	arriver à joindre les deux bouts
to pay * **a deposit on sthg**	verser un acompte pour qqch
to pay * **by cheque/credit card**	payer par chèque/carte de crédit
to pay * **cash**	payer comptant
to pay * **in instalments**	payer par acomptes

Shopping

a pound coin	une pièce d'une livre
a 5p/10p piece	une pièce de 5/10 pennies
a £10 note	un billet de 10 livres

British coins

a £5 note   *a £10 note*

Tune in!

– Are you going on holiday this summer?
– I don't think we can afford it. We've been trying to save up to buy a house but it's really difficult, especially when there are always bills to pay.
– I know what you mean. I might even have to ask my bank manager for an overdraft this month.
Otherwise I just don't think I'll be able to make ends meet.

CLOTHES & FASHION

Clothes • *Les vêtements*

Voir aussi **Describing Things**

anorak	anorak
apron	tablier
bikini	bikini ® ; deux-pièces
blazer	blazer
blouse	chemisier
boots	bottes
boxer shorts	caleçon *(pour hommes)*
bra	soutien-gorge
cardigan	cardigan
coat	manteau
costume	costume
dinner jacket	smoking *(veste)*
dinner suit	smoking *(costume)*
dress	robe
dressing gown	robe de chambre ; peignoir
(Am : bathrobe)	
dungarees *(Am : overalls)*	salopette
evening dress	robe de soirée ; tenue de soirée
fancy dress U	déguisement
gym shoes *(Am : sneakers)*	tennis
high heels	talons hauts
jacket	veste
jeans	jean
jersey	tricot
jumper *(Am : sweater)*	pull(-over)
knickers *(Br)*	culotte ; slip
leggings	caleçon *(pour femmes)*
leotard	body

Clothes & Fashion

mac(kintosh)	imper(méable)
miniskirt	mini-jupe
nightdress, nightie	chemise de nuit
(Am : nightgown)	
outfit	tenue
overall(s)	salopette ; combinaison
overcoat	manteau ; pardessus
pants *(Am : panties)*	culotte
panty girdle	gaine-culotte
polo neck	col roulé
pullover	pull(-over)
pyjamas	pyjama
raincoat	imper(méable)
sandals	sandales
shell suit *(Br)*	survêtement (*en nylon imperméabilisé*)
shirt	chemise
shoes	chaussures
shorts	short
skirt	jupe
slippers	pantoufles
socks	chaussettes
sports jacket	veste sport
stockings *(n)*	bas
suit	costume ; tailleur
suspender belt *(Am : garter belt)*	porte-jarretelles
sweater	pull(-over) ; tricot
sweatshirt	sweat-shirt
swimming trunks	slip de bain
swimsuit	maillot de bain
teeshirt, T-shirt	tee-shirt
tights *(Am : panty hose)*	collant(s)

Les Vêtements et la Mode

top   haut
tracksuit   survêtement
trainers, training shoes   chaussures de sport
   (Am : sneakers)
trousers *(Am : pants)*   pantalon
(under)pants   slip ; caleçon *(pour hommes)*
underskirt   jupon
underwear *U*   sous-vêtements
uniform   uniforme
vest *(Am : undershirt)*   tricot de corps
waistcoat *(Am : vest)*   gilet
wedding dress   robe de mariée
wellington boots *(Am : rubber boots)*   bottes de
                                                                caoutchouc

a pair of shoes/boots   une paire de
                                     chaussures/de bottes
a pair of trousers   un pantalon

bust   tour de poitrine
dressmaker   couturière
figure   ligne ; formes
inside leg   entrejambes
length   longueur
to measure   mesurer
measurement   mesures
off-the-peg *(Am : ready-to-wear)*   prêt-à-porter
size   taille; pointure
tailor   tailleur *(métier)*

baggy   (trop) ample
to fit   aller (à qqn)
loose   ample
tight   serré

Clothes & Fashion

to try on	essayer
it doesn't fit	ça ne me/vous va pas
it fits well	ça me/vous va bien
it's too big/small	c'est trop grand/petit
what size do you take?	quelle taille faites-vous?
button	bouton
collar	col
cuff	manchette
heel	talon
hem	ourlet
hood	capuchon
pleated	plissé
pocket	poche
sleeve	manche
sleeveless	sans manches
sole	semelle
V-neck	décolleté en V
zip (Am : zipper)	fermeture Éclair ®
to dress	habiller
dressed	habillé
to put•on	mettre
to take•off	enlever
to tie	attacher
to undo•	défaire
to undress	(se) déshabiller
to untie	dénouer
to wear•	porter
to be•dressed in ...	porter un(e) ...
to change one's clothes	se changer

Les Vêtements et la Mode

to get⁺ changed	se changer
to get⁺ dressed up s'habiller avec soin/élégance	
casual	sport
design	style
elegant	élégant
fashion	mode
fashionable	à la mode
flared	évasé
to match	aller avec
neat	soigné
smart	chic
straight	droit
stylish	élégant
to suit sb	aller à qqn
taste	goût
tasteful	de bon goût
well-dressed	bien habillé
to be⁺ in fashion/out of fashion	être à la mode/démodé
to have⁺ good/bad taste	avoir bon/mauvais goût
the latest fashion	la dernière mode

Tune in!

– And d'you know what she was wearing? A red leather miniskirt! It really didn't suit her - you know what her figure's like!
– I know, she doesn't have very good taste in clothes, does she?
– No, and her boyfriend's even worse - his jacket was far too big for him and it didn't even match his trousers!
Can you imagine?!

Jewellery & accessories • *Bijoux et accessoires*

badge	badge
bag	sac
beads	collier *(de perles)*
belt	ceinture
bow tie	nœud papillon
bracelet	bracelet
braces *(Am : suspenders)*	bretelles
briefcase	serviette
brooch *(Am : pin)*	broche
buckle	boucle
cap	casquette
chain	chaîne
cuff links	boutons de manchette
diamond	diamant
earrings	boucles d'oreilles
emerald	émeraude
<u>**engagement ring**</u>	bague de fiançailles
gloves	gants
gold *U*	or
hairband	bandeau
handbag *(Am : purse)*	sac à main
handkerchief, hankie	mouchoir
hat	chapeau
jewel	bijou
laces	lacets
necklace	collier
pearl	perle
pendant	pendentif
precious stone	pierre précieuse
purse *(Am : change purse)*	porte-monnaie

ribbon	ruban
ring	bague
ruby	rubis
sapphire	saphir
scarf *(pl -ves)*	écharpe ; foulard
silver *U*	argent
(sun)glasses	lunettes (de soleil)
tie	cravate
tiepin	épingle de cravate
umbrella	parapluie
wallet	portefeuille
watch	montre
wedding ring	alliance

a diamond ring	une bague de diamant
to have• pierced ears	avoir les oreilles percées
24-carat gold	or à vingt-quatre carats

Hair & make-up • *Coiffure et maquillage*

barber	coiffeur pour hommes
to blow-dry	faire un brushing
comb	peigne
curls	boucles
curly	frisé
to cut•	couper
cut 'n' blow-dry	coupe et brushing
dye	teinture
fringe *(Am : bangs)*	frange
(hair)brush	brosse à cheveux
haircut	coupe
hair gel	gel pour les cheveux
hairdresser	coiffeur(-euse)

hairdryer	sèche-cheveux
hairspray	laque
hairstyle	coiffure
highlights	mèches
mousse	mousse
parting *(Am : part)*	raie
perm	permanente
ponytail	queue de cheval
straight	raide
tint	shampooing colorant
trim	coupe d'entretien
to have• one's hair cut	se faire couper les cheveux
to have• one's hair dyed blond/red	se faire teindre les cheveux en blond/roux

beauty parlour	institut de beauté
blusher	fard à joues
cleanser	démaquillant
conditioner	baume démêlant
cosmetics	produits de beauté
cream	crème
eye shadow	fard à paupières
foundation	fond de teint
lipstick	rouge à lèvres
mascara	mascara
moisturizer	lait hydratant
nail varnish *(Am : nail polish)*	vernis à ongles
perfume	parfum
powder	poudre
skin freshener	lotion tonique

to **cleanse one's face/skin**	se démaquiller
to **paint one's nails**	se vernir les ongles
to **put·** on **make-up**	se maquiller
to **put·** on **perfume**	se parfumer
to **wear· make-up**	se maquiller *(habitude)*
to **wear· perfume**	se parfumer *(habitude)*

Tune in!

– Hello, what are you having done to your hair today?
– Just a trim, please - it's getting a bit long.
– What about trying something more dramatic?
– Oh, I'm not sure - it might just look silly on me.
– No, no, you'll look great, I promise you! Now, how about if we perm it first and then maybe some highlights ...

LEISURE

Pastimes • *Les passe-temps*

Voir aussi
**Media &
Culture**

free time	temps libre
fun *U*	amusement
leisure *U*	loisirs
to relax	se détendre
relaxation	relaxation
rest	repos
spare time *U*	loisirs ; temps libre
to spend✦	passer *(du temps)*
to have✦ **fun**	s'amuser
to have✦ **a lie-in**	faire la grasse matinée
to have✦ **a rest**	se reposer
to put✦ **one's feet up**	se reposer un peu
to sit✦ **around (doing nothing)**	traîner
to stay in *(Am :* to stay home*)*	rester à la maison
cassette	cassette
cassette recorder	magnétophone (à cassettes)
compact disc (CD)	(disque) compact
compact disc player	lecteur laser
to read◆	lire
record	disque
record player	électrophone
remote control	télécommande
tape	cassette
tape recorder	magnétophone (à cassettes)
toy	jouet
video recorder	magnétoscope

videotape	cassette vidéo
walkman ®	baladeur
to listen to music	écouter de la musique
to listen to the radio	écouter la radio
to watch TV/a video	regarder la télévision/ une vidéo
camera	appareil(-photo)
to collect	collectionner
dressmaking *U*	couture
embroidery	broderie
film	pellicule
gardening	jardinage
hobby	hobby
to knit	tricoter
knitting *U*	tricot
painting	peinture
pastime	passe-temps
photo album	album de photos
photo(graph)	photo(graphie)
photography *U*	photographie
picture	tableau ; photo
pottery *U*	poterie
to sew	coudre
sewing *U*	couture
sewing machine	machine à coudre
slide	diapositive
stamp collecting	philatélie
to take• up an interest/a hobby	se mettre à/ commencer une nouvelle activité
amusement arcade	galerie de jeux

to bet•	parier
bingo	≈ loto

Bingo est un jeu très populaire en Grande-Bretagne. Il consiste à cocher des chiffres sur une carte jusqu'à ce qu'elle soit remplie. On y joue souvent dans des cinémas désaffectés ou dans des salles municipales.

board game	jeu de société
to cheat	tricher
chess	(jeu d')échecs
circus	cirque
computer game	jeu électronique
crossword (puzzle)	mots croisés
dice *(pl inv)*	dé
draughts *U*	(jeu de) dames
fairground	fête foraine
to gamble	jouer *(miser de l'argent)*
game	jeu
jigsaw (puzzle)	puzzle
picnic	pique-nique
to play	jouer
(playing) cards	cartes (à jouer)
slot machine	machine à sous
toy	jouet
zoo	zoo
to go• **for a drive**	faire un tour en voiture
(Am : to go• for a ride)*	
to go• **for a picnic**	aller pique-niquer
to go• **for a walk**	faire une promenade
it's my turn	c'est mon tour

Socializing • *Rencontrer des amis*

Voir aussi **Food & Drink**		
	baby-sitter	baby-sitter
	birthday party	fête d'anniversaire
	to call (in on sb)	passer (voir qqn)
	to <u>chat</u>	bavarder
	cocktail party	cocktail
	conversation	conversation
	dance	danse
	to dance	danser
	dancing *U*	danse
	dinner party	dîner
	disco(theque)	boîte (de nuit)
	free	libre
	to go• out	sortir
	group	groupe
	guest *(n)*	invité(e)
	host(ess)	hôte ; hôtesse
	invitation	invitation
	to invite sb (round)	inviter qqn (chez soi)
	joke	plaisanterie
	to meet•	rencontrer
	nightclub	boîte de nuit
	party	fête ; soirée
	social life	sorties
	to talk	parler
	to visit	rendre visite
	to go• dancing	aller danser
	to go• for a drink	aller prendre un verre
	to go• out for a meal/to the pub	aller au restaurant/au pub

Leisure

to go• to a show	aller voir un spectacle
to go• to see friends	rendre visite à des amis
to have• a chat	bavarder
to have• a date with	avoir un rendez-vous avec
to have• a good/great time	bien/beaucoup s'amuser
to have• a party	organiser une petite fête
to make• friends (with)	se lier d'amitié (avec)
to tell• a joke	raconter une histoire (drôle)

club	club
meeting	réunion
member	membre
youth club	≈ Maison des jeunes

to <u>attend</u> a meeting	assister à une réunion
to be• a member of	être membre de
to join a club	devenir membre d'un/ s'inscrire à un club

Tune in!

– You should try and go out more in the evenings instead of just sitting around doing nothing.
– I don't just sit around! I read the paper and watch TV. What's wrong with that?
– Well, you could join a club or take up some new interest like keep fit or swimming.
– But I can't bear clubs and I get enough exercise running for the bus in the morning. I just like to relax and put my feet up when I get home.

Sports • *Les sports*

aerobics	aérobic
archery *U*	tir à l'arc
athlete	athlète
athletics *U*	athlétisme
badminton	badminton
baseball	base-ball
basketball	basket(-ball)
bowling green	terrain de boules *(sur gazon)*

Le **bowls** est un jeu de grosses boules noires contenant un poids. On le pratique sur un **bowling green**, sur gazon. On doit faire rouler les boules de manière à ce qu'elles effectuent un trajet en courbe.

bowls *U*	boules
boxer	boxeur
boxing	boxe
canoe	canoë
canoeing	canoë-kayak
climber	grimpeur(-euse)
climbing	escalade
cricket	cricket
cycling	cyclisme

darts *U*   fléchettes

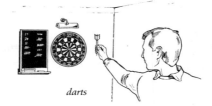

darts

to dive	plonger
diver	plongeur(-euse)
divingboard	plongeoir
fencing	escrime
to fish	pêcher
fishing	pêche
fishing rod	canne à pêche
football *(Am : soccer)*	foot(ball)
footballer *(Am : soccer player)*	footballeur(-euse)
football ground	stade de foot(ball)
(Am : soccer stadium)	
football pitch *(Am : soccer field)*	terrain de foot(ball)
golf	golf
golf ball	balle de golf
golf club	club de golf
golf course	terrain de golf
golfer	golfeur(-euse)
gymnast	gymnaste
gymnastics	gymnastique
high jump	saut en hauteur
hockey	hockey
hockey stick	crosse de hockey
hole	trou

horse racing *U*	course(s) de chevaux
(horse) riding	équitation
hunting	chasse
ice rink	patinoire
ice-skates	patins à glace
jockey	jockey
jogging	jogging
judo	judo
karate	karaté
keep fit *U*	gymnastique
long jump	saut en longueur
marathon	marathon
martial arts	arts martiaux
motor racing *U*	course d'automobiles
mountaineer	alpiniste
mountaineering	alpinisme
net	filet
netball	netball

Sport proche du basket, le **netball** est joué par deux équipes généralement féminines ; la règle principale consiste à ne pas se déplacer avec le ballon.

race	course
to race	faire la course ; courir
racecourse	hippodrome
racing *U*	courses
racing car	voiture de course
relay	course de relais
roller skates	patins à roulettes
rowing	aviron *(sport)*
rugby	rugby
runner	coureur(-euse)

Leisure

to sail	faire de la voile
sailing *U*	voile *(sport)*
skateboard	planche à roulettes
skating	patinage
to ski	faire du ski ; skier
skier	skieur(-euse)
skis	skis
ski slope	piste de ski
snooker	billard
squash	squash
surfboard	planche de surf
surfing	surf
to swim •	nager
swimmer	nageur(-euse)
swimming pool	piscine
table tennis	ping-pong
tennis	tennis
tennis court	court de tennis
tennis racket	raquette de tennis
try	essai
volleyball	volley(-ball)
weight lifting	haltérophilie
weight training	body-building
windsurfing	planche à voile
wrestling	catch
yacht	yacht
yoga	yoga
to go • for a swim	se baigner
to go • hillwalking	faire des randonnées (en montagne)
to go • sailing	faire de la voile

to go•skiing	faire du ski
to go•swimming	faire de la natation
to ride•a horse	monter à cheval
amateur *(n/adj)*	amateur
ball	ballon ; balle
bat	batte
to beat•	battre
champion	champion(-onne)
championship	championnat
changing room *(Am : locker room)*	vestiaire
coach	entraîneur(-euse)
to compete	concourir ; être en compétition
competition	compétition
competitor	concurrent(e)
corner (kick)	corner *(football)*
crew	équipage
cup	coupe
draw	match nul
to draw•	faire match nul
fan	mordu
final	finale
finalist	finaliste
fitness	forme physique
foul	faute
game	partie
goal	but ; les buts
goalkeeper	gardien de but
goalpost	poteau de but
goalscorer	buteur
half time *U*	mi-temps
indoor	en salle

Leisure

instructor	moniteur(-trice)
league	division ; championnat
to lose •	perdre
loser *(n)*	perdant(e)
manager	manager
match	match
medal	médaille
opponent	adversaire
outdoor	en plein air
penalty	penalty
to play	jouer
player	joueur(-euse)
point	point
practice	entraînement
to practise	s'entraîner
professional *(n/adj)*	professionnel(-elle)
record	record
referee	arbitre
runner-up *(pl -s-up)*	second(e)
score	score
to score	marquer
sports centre	centre sportif
sportsman *(pl -men)*	sportif
sportswoman *(pl -women)*	sportive
stadium *(pl -iums OR -ia)*	stade
supporter *(Br)*	supporter
tackle	plaquage ; tacle
team	équipe
tournament	tournoi
to train	s'entraîner
training *U*	entraînement
trophy	trophée

umpire	arbitre
to win ⁺	gagner
winner *(n)*	gagnant(e)
world cup	coupe du monde
the first/second half	la première/seconde mi-temps
to be ⁺ **in the lead**	être en tête ; mener
to be ⁺ **in training**	s'entraîner
to be ⁺ **offside**	être hors jeu
to break ⁺ **the record**	battre le record
to do ⁺ **exercises**	faire des exercices
to get ⁺ **fit**	entretenir sa forme physique

Tune in!

– Did you see the match on Saturday?
– Oh yes, it was a great game - that last goal by Saunders was just tremendous!
– Rubbish! He was miles offside - the referee must've been asleep! And as for that foul on Johnston in the first half, now that really should've been a penalty.
– You've got to be joking - it was a brilliant tackle! But that corner for United …

TRAVEL

General • *Généralités*

Voir aussi
**Your
Home
Town**

aboard	à bord
arrival	arrivée
to arrive	arriver
to board	monter à bord de
on board	à bord
to book	réserver
booking office	bureau de location
(Am : ticket office*)*	
to cancel	annuler
cancellation	annulation
to catch✦	prendre
to change	changer (de)
collision	collision
to commute	faire un trajet quotidien pour se rendre à son travail
commuter	banlieusard(e) qui fait un trajet quotidien
connection	correspondance
delay	retard
delayed	retardé
to depart	partir
departure	départ
destination	destination
direction	direction
to disembark	débarquer
to embark	embarquer
emergency exit	sortie de secours
engine	moteur

to enquire	se renseigner
exit	sortie
extra	supplémentaire
fare	prix du billet
fast	vite ; rapide
first-class *(adj)*	de première classe
to get in	monter
to get off	descendre
to get on	monter
to get out	descendre
half fare	demi-tarif
information *U*	information
information desk	bureau de renseignements
information office	bureau d'information
to inquire	se renseigner
journey	voyage
to leave	partir
left luggage (office)	consigne
(Am : baggage checkroom*)*	
locker	consigne automatique
lost property (office)	(bureau des) objets
(Am : lost-and-found office*)*	trouvés
luggage trolley	chariot (à bagages)
(Am : baggage cart*)*	
passenger	passager
to queue *(Am :* to stand in line*)*	faire la queue
to reach	arriver à
reservation	réservation
to reserve	réserver
to return	retourner ; revenir
return (ticket)	aller (et) retour
(Am : round-trip (ticket)*)*	

Travel

rush hour	heures de pointe
season ticket	carte d'abonnement
seat	place ; siège
second-class *(adj)*	de seconde classe
to set• out	se mettre en route
single (ticket) *(Am :* one-way (ticket)*)*	aller simple
slow	lent
to slow down	ralentir
speed	vitesse
to speed up	accélérer
stop	arrêt
to stop	s'arrêter
ticket	billet ; ticket
ticket machine	distributeur de tickets
ticket office	guichet
timetable	horaire
to travel	voyager
traveller	voyageur(-euse)
trip	voyage
voyage	traversée
to wait	attendre
waiting room	salle d'attente
to walk	marcher ; aller à pied
to ask for directions	demander son chemin
to get• lost	se perdre
to go• by bus/car/train/plane	voyager en bus/voiture/train/avion
to miss a bus/train	rater un bus/train
on foot	à pied
on the left/right	à gauche/à droite
straight on/ahead	tout droit

By road • *Par la route*

accident	accident
bend	virage
bicycle	bicyclette
bike	vélo
breakdown	panne
to break• down	tomber en panne
breakdown truck *(Am : tow truck)*	dépanneuse
breathalyser ®	Alcootest ®
bus	(auto)bus
bus conductor(-tress)	receveur(-euse)
bus driver	conducteur(-trice) de bus
bus shelter	Abribus ®
bus station	gare d'autobus
bus stop	arrêt de bus
cab	taxi
car	voiture
car park *(Am : parking lot)*	parking
car wash	lavage automatique
coach *(Am : bus)*	autocar
coach station *(Am : bus station)*	gare routière
to crash	se percuter
crossing	croisement
crossroads *(pl inv)*	carrefour
to cycle	faire du vélo
cyclist	cycliste
diesel	diesel
double-decker (bus)	autobus à impériale

Le **double-decker bus** ou **double-decker** est le fameux autobus à impériale rouge vif qui fait partie du paysage londonien, mais qu'on retrouve sous d'autres couleurs dans toutes les agglomérations britanniques.

double yellow line   double ligne jaune

Une double ligne jaune en bordure de trottoir indique une zone d'interdiction de stationnement et d'arrêt.

to drive •	conduire
driver	conducteur(-trice)
driving test	examen du permis de conduire
driving lesson	leçon de conduite
driving licence	permis de conduire
(Am : driver's license)	
dual carriageway	grande route à quatre voies
(Am : two-lane highway)	
estate car *(Am : station wagon)*	break *(voiture)*
to fill	remplir
to fill up	faire le plein
fine	contravention
fork	embranchement
garage	garage
to hitchhike	faire du stop
hitchhiker	auto-stoppeur(-euse)

insurance	assurance
junction	carrefour
to knock sb down	renverser qqn
lane	file
lay-by *(Br)*	aire de stationnement
level crossing	passage à niveau
(Am : grade crossing)	

lollipop man/woman *(Br)* ...

Lollipop man/woman signifie littéralement : *homme/ femme sucette*. Vêtues de blanc et jaune, ces personnes aident les enfants à traverser la rue à la sortie des écoles en arrêtant la circulation avec une pancarte en forme de sucette.

lorry *(Am :* truck)	camion
lorry driver	chauffeur de camion
(Am : truck driver)	

minicab *(Br)* ...

minicab   *taxi*

> En Grande-Bretagne, on trouve deux sortes de taxis, les *minicabs*, et les **black cabs**, taxis noirs, massifs et spacieux, que l'on ne trouve que dans les grandes villes ; ce sont les seuls qu'on peut héler dans la rue.

moped   Mobylette ®
MOT ...

> Dans le langage courant, **MOT**, abréviation de **Ministry of Transport Test**, désigne le contrôle technique annuel obligatoire des véhicules qui ont plus de trois ans (en Grande-Bretagne), ou de cinq ans (en Irlande du Nord).

motor	moteur
motorbike	moto
motorcar *(Am : automobile)*	automobile
motorcycle	motocyclette ; moto
motorcyclist	motocycliste
motorist	automobiliste
motorway *(Am : highway)*	autoroute
oil	huile
one-way	à sens unique
to overtake •	doubler
to park	se garer
<u>**parking**</u> *U*	stationnement
parking meter	parcmètre
parking space	place de stationnement
to pass	dépasser
pedestrian	piéton(-onne)
pedestrian crossing	passage (pour) piétons
(Am : crosswalk)	
petrol *(Am : gas)*	essence
petrol pump *(Am : gas pump)*	pompe à essence
petrol station *(Am : gas station)*	station-service

road	route
(road) sign	panneau (de signalisation)
roundabout *(Am : traffic circle)*	rond-point
to run• sb over	renverser qqn
scooter	scooter
service station	station-service
to signal	mettre son clignotant
signpost	poteau indicateur
speed limit	limitation de vitesse ; vitesse maximale
sports car	voiture de sport
taxi	taxi
taxi driver	chauffeur de taxi
taxi rank *(Am : cab rank)*	station de taxis
terminus *(pl -nuses OR -ni)*	terminus
to tow	remorquer
<u>**traffic**</u> *U*	circulation
traffic jam	embouteillage
traffic lights	feux (de signalisation)
traffic warden *(Am : traffic cop)*	contractuel(-elle)
tram	tram(way)
to turn right/left	tourner à droite/à gauche
truck	camion
van	camionnette
vehicle	véhicule
zebra crossing *(Br)*	passage pour piétons

zebra crossing

pelican crossing

to be⁺ at red/amber/green *(Am : red/yellow/green)*	être au rouge/à l'orange/au vert
to cross the road	traverser la rue
to give⁺ sb a lift *(Am : a ride)*	prendre qqn en voiture
to learn⁺ to drive	apprendre à conduire
to lose⁺ one's (driving) licence	se faire retirer son permis (de conduire)
no parking	stationnement interdit
to accelerate	accélérer
accelerator *(Am : gas pedal)*	accélérateur
back seat	siège arrière
battery	batterie
<u>bonnet</u> *(Am : hood)*	capot
boot *(Am : trunk)*	coffre
brake	frein
to brake	freiner
bumper	pare-chocs
door	portière
exhaust pipe *(Am : tail pipe)*	pot d'échappement
front seat	siège avant
gears	vitesses
gear stick *(Am : gear shift)*	levier de vitesse
handbrake	frein à main
headlight, headlamp	phare
horn	Klaxon ®
ignition	allumage
to indicate	mettre son clignotant
indicator	clignotant
L-plate *(Br)*	plaque indiquant un conducteur débutant

En Grande-Bretagne, on reconnaît ces apprentis conducteurs à une petite plate blanche où est inscrit un "L" en rouge. Le "L" signifie **learner** (débutant). Cette plaque doit se trouver à l'avant et à l'arrière de la voiture.

numberplate   plaque (d'immatriculation)
(Am : license plate*)*

pedal   pédale

petrol tank *(Am :* gas tank*)*   réservoir

roof rack   galerie

safety/seat belt   ceinture de sécurité

sidelight *(Am :* parking light*)*   feu de position

spare   de rechange

steering wheel   volant

tyre   pneu

wheel   roue ; volant

window   vitre

windscreen *(Am :* windshield*)*   pare-brise

windscreen wipers   essuie-glace
(Am : windshield wipers*)*

to change a tyre   changer un pneu

to flash one's lights   faire un appel de phares

to have•a puncture *(Am :* to have•a flat*)*   crever

to <u>reverse</u> in/out   faire marche arrière
(Am : to back in/out*)*

to sound one's horn   klaxonner

Tune in!

– Oh, excuse me, can you tell me how to get to Springfield Street, please?
– Well, let's see, you go down this road here and straight on at the traffic lights. Then you'll see a garage on the right-hand side of the road. It's the second on the left after that. You can't miss it.

By rail • *En train*

buffet car *(Am : dining car)*	voiture-bar
carriage	wagon ; voiture
class	classe
compartment	compartiment
express train	train rapide
goods train	train de marchandises
(Am : freight train)	
guard *(Am : conductor)*	chef de train
line	ligne ; voie
luggage rack	porte-bagages
platform	quai
porter	porteur
railway *(Am : railroad)*	chemin de fer
railway station *(Am : railroad station)*	gare
restaurant car	voiture-restaurant
sleeper	train-couchettes ; couchette
station	gare
steam engine	locomotive à vapeur
ticket inspector	contrôleur(-euse)
train	train
train driver	conducteur(-trice) de train
tube *(Am : subway)*	métro

Tube station

> **The tube** est le nom familier donné au métro londonien,
> autrement appelé the **Underground**.

tunnel	tunnel
underground *(Am : subway)*	métro

By air • En avion

airhostess *(Am : air stewardess)*	hôtesse de l'air
aeroplane *(Am : airplane)*	avion
airline	compagnie aérienne
airport	aéroport
air traffic control	contrôle de la navigation aérienne
boarding card/pass	carte d'embarquement
charter flight	vol charter
check-in	enregistrement des bagages
to check in	enregistrer ses bagages
cockpit	cabine de pilotage
departure lounge	salle d'embarquement
domestic flight	vol intérieur
flight	vol
to fly•	voler ; voyager en avion
gate	porte
helicopter	hélicoptère
international flight	vol international
to land	atterrir
landing	atterrissage
pilot	pilote
plane	avion
runway	piste
scheduled flight	vol régulier

steward	steward
stewardess	hôtesse (de l'air)
take-off	décollage
to take • off	décoller
terminal	aérogare
wing	aile

to fasten/unfasten one's seat belt attacher/
détacher la ceinture de sécurité

By sea • En mer

boat	bateau
cabin	cabine
cruise	croisière
deck	pont
to dock	se mettre à quai
ferry	ferry(-boat)
harbour	port
hovercraft	aéroglisseur
lifeboat	canot de sauvetage
motorboat	canot automobile
oar	rame
port	port
quay	quai
rowing boat *(Am : rowboat)*	canot à rames
to sail	naviguer
ship	bateau
wave	vague

to be • seasick avoir le mal de mer

Holidays & going abroad • *Partir en vacances/à l'étranger*

abroad	à l'étranger
baggage allowance	bagages autorisés
to bathe	se baigner
beach	plage
brochure	brochure
camera	appareil photo
consul	consul
consulate	consulat
customs	douane
deckchair *(Am : beachchair)*	transat
duty	taxe
duty-free	hors taxes
embassy	ambassade
to explore	explorer
guide	guide *(personne)*
guide book	guide
guided tour	visite guidée
to hire	louer
holiday *(Am : vacation)*	vacances
holidaymaker *(Am : vacationer)*	vacancier(-ère)
holiday resort *(Am : vacation resort)*	(lieu de) villégiature
Lilo ® *(Am : air mattress)*	matelas pneumatique
luggage *(Am : baggage)* U	bagages
map	carte ; plan
to pack	faire ses valises
package holiday *(Am : vacation package)*	voyage organisé
passport	passeport

Travel

passport control	contrôle des passeports
postcard	carte postale
rucksack	sac à dos
sand	sable
sight	attraction touristique
(suit)case	valise
to sunbathe	se faire bronzer
sunburn *U*	coup de soleil
sunglasses	lunettes de soleil
sunstroke *U*	insolation
suntan	bronzage
suntan oil/cream	huile/crème solaire
tour	visite
to tour (around)	visiter
tourist	touriste
tourist information office	office du tourisme
tour operator	tour-opérateur ; voyagiste
travel agency	agence de voyages
travel agent	agent de voyages
travel insurance	assurance-voyage
traveller's cheque	chèque de voyage
to unpack	défaire ses bagages
view	vue
visa	visa
to visit	visiter
watersports	sports nautiques
to go• on holiday *(Am : on vacation)*	partir en vacances
to go• sightseeing	faire du tourisme
to have• something/ nothing to declare	avoir qqch/n'avoir rien à déclarer
at the seaside	au bord de la mer

Tune in!

> – Where are you going on holiday, then?
> – Well, first we're flying to Paris, then we'll take the train to Marseilles where we'll hire a car and tour around for a bit. After that we'll visit some friends in Turin.
> – Gosh, how many weeks will you be away?
> – Oh, we're only going for a week!

Accommodation • Le logement

air-conditioning	climatisation
bed and breakfast	≈ chambre d'hôte
bill	facture
to camp	camper
campsite	terrain de camping
caravan *(Am : trailer)*	caravane
caravan site *(Am : trailer park)*	camping pour caravanes
chambermaid	femme de chambre
to check in	remplir sa fiche (d'hôtel)
to check out	régler sa note
double bed	lit à deux places
double room	chambre pour deux personnes
full board	pension complète
guesthouse	pension de famille
half board	demi-pension
hostel	auberge
hotel	hôtel
inn	auberge
reception (desk)	réception
register	registre
to register	signer le registre
room number	numéro de chambre

Travel

room service	service d'étage
self-catering	(logement indépendant)
(accommodation) *(Br)*	avec cuisine
single bed	lit à une place
single room	chambre individuelle
sleeping bag	sac de couchage
to stay	rester ; loger
tent	tente
trailer	remorque
twin beds	lits jumeaux
youth hostel	auberge de jeunesse
to book a room	réserver une chambre
to go• camping	faire du camping
no vacancies	complet
vacancies	il reste des chambres

Tune in!

– Oh, good evening, we're looking for a room. Do you have any vacancies?
– Yes, sir. A double room for one night, is it?
– Well, a double room with bathroom and we'd like to stay two nights if that's all right.
– Yes, no problem sir. Now, if you'll just sign the register, I'll get your key and the porter will bring your luggage up.

COUNTRIES & NATIONALITIES ◢

Lorsqu'un seul mot apparaît à *Nationality*, cela signifie qu'il est à la fois adjectif et nom. Lorsqu'ils sont plusieurs, le premier est l'adjectif, viennent ensuite le ou les nom(s) des habitants. Les adjectifs suivis d'un astérisque désignent également une langue.

Country	*Pays*	*Nationality*
Algeria	Algérie	**Algerian**
Argentina	Argentine	**Argentinian**
Australia	Australie	**Australian**
Austria	Autriche	**Austrian**
Belgium	Belgique	**Belgian**
Brazil	Brésil	**Brazilian**
Bulgaria	Bulgarie	**Bulgarian***
Canada	Canada	**Canadian**
Chile	Chili	**Chilean**
China	Chine	**Chinese***
Czechoslovakia	Tchécoslovaquie	**Czech(oslovakian)***
Denmark	Danemark	**Danish***
		Dane
Egypt	Egypte	**Egyptian**
England	Angleterre	**English***
		Englishman
		Englishwoman
Finland	Finlande	**Finnish***
		Finn
France	France	**French***
		Frenchman
		Frenchwoman
Germany	Allemagne	**German***
Great Britain	Grande-Bretagne	**British**

Countries & Nationalities

Country	Pays	Nationality
Greece	Grèce	**Greek***
Holland,	Hollande,	**Dutch***
Netherlands	Pays-Bas	**Dutchman**
		Dutchwoman
Hungary	Hongrie	**Hungarian***
India	Inde	**Indian**
Iran	Iran	**Iranian***
Iraq	Iraq	**Iraqi**
Ireland, Eire	Irlande	**Irish***
		Irishman
		Irishwoman
Israel	Israël	**Israeli**
Italy	Italie	**Italian***
Japan	Japon	**Japanese***
Lebanon	Liban	**Lebanese**
Luxemburg	Luxembourg	**Luxemburger** *(n)*
Mexico	Mexique	**Mexican**
Morocco	Maroc	**Moroccan**
New Zealand	Nouvelle-Zélande	**New Zealander** *(n)*
Northern Ireland	Irlande du Nord	**Northern Irish**
Norway	Norvège	**Norwegian***
Pakistan	Pakistan	**Pakistani**
Peru	Pérou	**Peruvian**
Poland	Pologne	**Polish***
		Pole
Portugal	Portugal	**Portuguese***
Romania	Roumanie	**Romanian***
Russia	Russie	**Russian***
Saudi Arabia	Arabie Saoudite	**Saudi (Arabian)**

Country	Pays	Nationality
Scotland	Écosse	**Scottish**
		Scot(sman)
		Scot(swoman)
South Africa	Afrique du Sud	**South African**
Spain	Espagne	**Spanish***
		Spaniard
Sweden	Suède	**Swedish***
		Swede
Switzerland	Suisse	**Swiss**
Turkey	Turquie	**Turkish***
		Turk
United Kingdom	Royaume-Uni	**British**
United States	Etats-Unis	**American**
of America	(d'Amérique)	
(USA)		
Wales	le pays de	**Welsh***
	Galles	**Welshman**
		Welshwoman
Yugoslavia	Yougoslavie	**Yugoslavian**
		Yugoslav

Other languages • *Autres langues*

Afrikaans	afrikaans
Arabic	arabe
Gaelic	gaélique
Hebrew	hébreu
Hindi	hindi
Persian	persan
Serbo-Croat	serbo-croate

Swahili	swahili
Urdu	ourdou
foreign language	langue étrangère
language	langue
mother tongue	langue maternelle
to pronounce	prononcer

Geographical names • *Noms géographiques et divers*

Africa	Afrique
African	Africain(e) ; africain
America	Amérique
the Antarctic	l'Antarctique
the Arctic	l'Arctique
Asia	Asie
the Atlantic (Ocean)	l'(océan) Atlantique
Australasia	Australasie
the Commonwealth	le Commonwealth

Commonwealth : Lien entre la Grande-Bretagne et son ancien empire, le Commonwealth a remplacé l'Empire au fur et à mesure de l'indépendance des colonies britanniques. De nos jours, il est formé de 48 Etats qui reconnaissent la Reine de Grande-Bretagne comme chef du Commonwealth. 17 d'entre eux reconnaissent toujours la Reine comme leur chef d'Etat, dont le Canada, l'Australie et la Nouvelle-Zélande.

Commonwealth of Independent States (CIS)	Communauté des Etats Indépendants (C.E.I.)
Europe	Europe
European *(n/adj)*	Européen(-enne)
the Far East	l'Extrême-Orient

the Indian Ocean	l'océan Indien
Latin America	Amérique latine
the Mediterranean	la Méditerranée
the Middle East	le Moyen-Orient
North America	Amérique du Nord
the North Pole	le pôle Nord
the North Sea	la mer du Nord
the Pacific (Ocean)	l'océan Pacifique ; le Pacifique
South America	Amérique du Sud
the South Pole	le pôle Sud
Dover	Douvres
Edinburgh	Edimbourg
the (English) Channel	la Manche
London	Londres
the Thames	la Tamise
border	frontière
continent	continent
flag	drapeau
foreign *(adj)*	étranger
foreigner	étranger(-ère)
frontier	frontière
nation	nation
population	population

COMMUNICATIONS & TECHNOLOGY

Post office . *La poste*

airmail	poste aérienne
by airmail	par avion
collection	levée
courier	coursier
to deliver	distribuer ; livrer
envelope	enveloppe
first class	tarif normal
letter	lettre
letterbox *(Am : mailbox)*	boîte aux lettres
mail *U*	courrier
messenger	coursier
parcel	colis
pillar box *(Am : mailbox)*	boîte aux lettres

pillar box   *postbox*

to post *(Am : to mail)*	poster
postage *U*	tarifs postaux
postal order	mandat postal
postbox	boîte aux lettres
postcard	carte postale

postcode *(Am : zip code)*   code postal

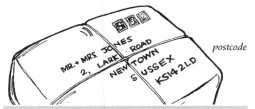

postcode

En Grande-Bretagne, le code postal est une combinaison
de 5 à 7 lettres et chiffres, dont la première partie indique
la ville et la circonscription, la deuxième le secteur et,
parfois, la rue.

poste restante   poste restante
postman *(pl -men)*   facteur
post office   poste

On trouve souvent, dans les villes et villages britanniques,
des magasins qui font également office de bureaux de
poste. On les trouve sous l'appellation de **post office and
general store** ou de **sub-post office**.

postwoman *(pl -women)*   factrice
to receive   recevoir
registered   recommandé
second class   envoi au tarif réduit
to send•   envoyer
sender   expéditeur(-trice)
stamp   timbre
telegram   télégramme

Communications & Technology

Letterwriting • *La correspondance*

card	carte
to correspond	correspondre
dear	cher
to enclose	joindre
note	note ; petit mot
notepaper	papier à lettres
pen	stylo
pen friend, pen pal	correspondant(e)
reply	réponse
to reply	répondre
to write ◦	écrire
writing pad	bloc de papier à lettres
to drop sb a line	écrire un petit mot à qqn
Best wishes	amitiés
Dear Sir/Madam	Monsieur/Madame
Yours faithfully	Veuillez agréer, Monsieur/Madame, l'expression des mes sentiments distingués
Yours sincerely	Veuillez agréer, Monsieur/Madame, l'expression de mes sentiments les meilleurs

Telecommunications • *Les télécommunications*

call	appel
to call	appeler
call box *(Am :* phone booth*)*	cabine téléphonique
to dial	composer

British telephone boxes

dialling tone *(Am : dial tone)*	tonalité
directory enquiries	renseignements
(Am : directory information*)*	
engaged *(Am :* busy*)*	occupé
engaged tone *(Am :* busy signal*)*	tonalité 'occupé'
extension	poste
fax	télécopieur ; télécopie
to fax	envoyer par télécopieur
to hang• up	raccrocher
hello	allô
to hold• (on)	rester en ligne
line	ligne
mobile/portable phone	téléphone portable
modem	modem
number	numéro
operator	standardiste
out of order	en panne ; en dérangement
phone	téléphone
phonecard	carte de téléphone
to put• sb through (to)	passer qqn (à)
receiver	récepteur
to ring•	sonner
to ring• (up)	téléphoner à
telephone	téléphone

to (tele)phone	téléphoner (à)
(tele)phone book/directory	annuaire
(tele)phone booth	cabine téléphonique
(tele)phone box *(Br)*	cabine téléphonique
(tele)phone call	coup de fil ; appel (téléphonique)
telex	télex
to telex	envoyer par télex
telex machine	télex
to answer the phone	répondre au téléphone
to leave*/take* a message	laisser/prendre un message
to transfer a call	passer un appel
can I speak to ...?	puis-je parler à ...?
hold on, hold the line	ne quittez pas
there's no answer/no reply	ça ne répond pas
this is ...	c'est ...
who's calling?	qui est à l'appareil?

Tune in!

> – Hello, can I speak to Mr Lee, please.
> – Certainly, can I ask who's calling?
> – Yes, it's Mr Heath of Widgit Software.
> – Thank you, I'll just put you through ... I'm sorry Mr Heath, the line's engaged. Will you hold or can I take a message?
> – No, it's all right. I'll ring back this afternoon. Bye.

Computers • *L'informatique*

cable	câble
command	commande
computer	ordinateur
computer graphics	infographie
computer operator	opérateur(-trice)
computer programmer	programmeur(-euse)
computing	informatique
database	base de données
disk	disquette
disk drive	lecteur de disquettes
document	document
DTP (desktop publishing) *U*	P.A.O.
	(publication assistée par ordinateur)
to enter	introduire ; saisir *(des données)*
enter key	touche de validation d'entrée
escape key	touche d'échappement
file	fichier
floppy disk	disquette ; disque souple
hard disk	disque dur
hardware *U*	matériel
keyboard	clavier
laptop/portable computer	ordinateur portable
laser printer	imprimante à laser
memory *U*	mémoire
modem	modem
monitor	moniteur
mouse	souris
PC (personal computer)	P.C. ; ordinateur personnel

Communications & Technology

to press	appuyer sur
printer	imprimante
printout	sortie d'imprimante
to print out	imprimer
program	programme
to save	sauvegarder
screen	écran
software *U*	logiciel
spreadsheet	tableur
virus	virus
word processing *U*	traitement de texte
word processor	machine de traitement de texte

Tune in!

– I just can't get this printer to work.
– Did you use the normal print command?
– Of course I did - I entered 'P' for 'print' but nothing happened.
– I suppose it could be a software problem, or even a virus … Hang on, it might help if you switched the printer on first!

MEDIA & CULTURE

Press • *La presse*

to advertise	faire de la publicité
advertisement	publicité
cartoon	bande dessinée
circulation *U*	diffusion ; tirage
classified ads	petites annonces
colour supplement	supplément illustré
column	colonne ; rubrique
comic *(n)*	bande dessinée
daily *(n)*	quotidien
editor	rédacteur(-trice) ; directeur(-trice)
editorial	éditorial
front page	première page
gossip column	échos
headline	manchette
horoscope	horoscope
journalist	journaliste
magazine	magazine
monthly *(n)*	mensuel
news *U*	nouvelles
(news)paper	journal

On peut classer les journaux britanniques en deux catégories, d'un côté il y a ceux qui appartiennent à la presse "sérieuse" (**quality press**), de l'autre les **tabloids** qui font une large place aux scandales et révélations en tous genres.

newspaper   *tabloid (newspaper)*

report	reportage
to report	reporter
review	critique *(article)*
scandal	scandale
tabloid	tabloïd(e)
weekly	hebdomadaire

TV & radio • *La télévision et la radio*

ads, advert(isement)s	publicité
announcer	présentateur(-trice)
to broadcast•	émettre
cable television	télévision par câble
channel	chaîne
to change/switch	changer de chaîne ;
channels	zapper
chat show *(Am : talk show)*	causerie télévisée
commentator	commentateur(-trice)
commercial	publicité
commercial break	pause de publicité
DJ (disc jockey)	disc-jockey
documentary	documentaire
game show	jeu télévisé
interview	interview
interviewer	intervieweur(-euse)
listener	auditeur(-trice)
live	en direct
news *U*	informations
news bulletin	journal (télévisé) ; bulletin d'informations
newsreader *(Am : newscaster)*	présentateur(-trice)

phone-in *(Am : call-in)*	émission ligne ouverte
	(aux auditeurs/téléspectateurs)
presenter *(Am : host)*	présentateur(-trice)
programme	émission
quiz *(pl -zes)*	jeu-concours
quiz programme/show	jeu-concours
radio	radio
remote control	télécommande
satellite TV	télévision par satellite
serial	feuilleton
series *(pl inv)*	série
soap opera	feuilleton (mélo)
studio	studio
television	télévision
telly, TV	télé
viewer	téléspectateur(-trice)
weather forecast	prévisions météo
weatherman *(pl -men)*	météorologue

Tune in!

– What's on TV?
– Oh, just some boring quiz show.
– Good, so I can watch the soap opera on the other channel then?
– Oh no, I hate soap operas. Actually, this programme's not as bad as I thought, and the news is on next - and, anyway, I've got the remote control!

The arts – general • *Les arts : généralités*

the arts	les arts
arts centre	centre culturel
contemporary	contemporain
entertainment	spectacle
event	événement
famous	célèbre
festival	festival
masterpiece	chef-d'œuvre
modern	moderne
museum	musée
star	star
talented	qui a du talent
ticket	billet
traditional	traditionnel
work of art	œuvre d'art
to be• set in	se passer en/dans/au/à
to take• place	avoir lieu
it's about ...	ça parle de ...
it takes place in ...	ça a lieu en/à ...

Literature • *La littérature*

author	auteur
autobiography	autobiographie
biography	biographie
book	livre
chapter	chapitre
character	personnage
crime fiction *U*	roman policier *(genre)*

detective story	(roman) policier
ending	fin
essay	essai
fairy-tale	conte de fées
fiction *U*	fiction
ghost story	histoire de fantômes
hero	héros
heroine	héroïne
love story	histoire d'amour
mystery	mystère
nonfiction	littérature non-romanesque
novel	roman
novelist	romancier(-ère)
nursery rhyme	comptine
page	page
paragraph	paragraphe
plot	intrigue
poem	poème
poet	poète ; poétesse
poetry *U*	poésie
to publish	publier
publisher	éditeur(-trice)
reader	lecteur(-trice)
romance	roman à l'eau de rose
romantic	romantique
science fiction	science-fiction
sentence	phrase
sequel	suite
short story	nouvelle
story	histoire
tale	conte
thriller	roman à suspense

title	titre
verse	vers
volume	volume
word	mot
writer	écrivain

Tune in!

> – What are you reading?
> – Oh, it's a romance set in Yorkshire at the beginning of the nineteenth century. It's terribly good - the hero and heroine have been in love since childhood and …
> – Oh yes, I've seen the film. The ending's very sad. The hero comes back and …
> – Don't tell me, I haven't finished it yet!

Music • La musique

Voir aussi
Leisure

accordion	accordéon
album	album
ballad	romance
band	groupe
bassist	bassiste
blues	blues
brass band	fanfare
cassette	cassette
CD (compact disc)	(disque) compact
cello	violoncelle
the Charts *(Br)*	le hit-parade
choir	chorale
Christmas carol	chant de Noël
classical music	musique classique
composer	compositeur(-trice)
concert	concert

<u>conductor</u>	chef d'orchestre
country and western	country *(musique)*
drummer	batteur(-euse)
drums	batterie
duet	duo
flute	flûte
folk (music)	folk
guitar	guitare
guitarist	guitariste
heavy metal *U*	hard-rock
hit	tube
hymn	hymne
jazz	jazz
keyboard	clavier
keyboard(s) player	musicien(-enne) au clavier
lead singer	chanteur(-euse) principal(e)
live	en direct
loud	fort
loudspeaker	haut-parleur
LP (long-playing record)	33 tours
lyrics	paroles
microphone	micro
music	musique
(musical) instrument	instrument (de musique)
musician	musicien(-enne)
noisy	bruyant
note	note
opera	opéra
orchestra	orchestre
organ	orgue
pianist	pianiste
piano	piano

pop	pop
pop group	groupe pop
pop star	pop star
punk	punk
rap	rap
record	disque
to record	enregistrer
reggae	reggae
rhythm	rythme
rock	rock
rock band	groupe de rock
rock 'n' roll	rock and roll
saxophone	saxo(phone)
to sing•	chanter
singer	chanteur(-euse)
a single	un 45 tours
solo	solo
soloist	soliste
song	chanson
songwriter	parolier ; compositeur(-trice)
sound	bruit ; son
symphony	symphonie
synthesizer	synthé(tiseur)
track	piste ; plage
trumpet	trompette
tune	air
violin	violon
vocalist	chanteur(-euse)
to whistle	siffler
in tune/out of tune	juste/faux
the Top Ten/Twenty	les dix/vingt premiers du hit-parade

to be • Number One être en tête du hit-parade
to have • a good voice avoir une belle voix
to play a tune jouer un air
to play the piano jouer du piano
to read • music lire la musique

Tune in!

– I bought the new album by the Sprats yesterday. It's brilliant.
– Really? I've never heard any of their stuff. What's it like?
– Well, you could say it's a mixture of country and western, rap and heavy metal – it's highly original.
– I'm sure! Actually, I prefer Mozart myself …

Visual arts . *Les arts plastiques*

abstract	abstrait
antique	objet d'art ; meuble ancien
antique	ancien
architecture *U*	architecture
art	art
art gallery	musée d'art
artist	artiste
black and white	noir et blanc
canvas	toile
collection	collection
colour	en couleur
copy	copie
crafts	artisanat
to draw •	dessiner
drawing	dessin
engraving	gravure
exhibition	exposition

fake *(n/adj)*	faux
fine art(s)	beaux-arts
<u>**forgery**</u>	contrefaçon
gallery	galerie
illustration	illustration
landscape	paysage
oil painting	peinture à l'huile
original *(n/adj)*	original
to paint	peindre
(paint)brush	pinceau
painter	peintre
painting	peinture
to photograph	photographier
photography *U*	photographie
picture	tableau ; photo
(picture) frame	cadre
portrait	portrait
poster	poster ; affiche
pottery *U*	poterie
print	épreuve ; gravure
sculptor	sculpteur
sculpture	sculpture
show	exposition
sketch	croquis
still life	nature morte
watercolour	aquarelle

Theatre . *Le théâtre*

act	acte
to act	jouer
actor	acteur

actress	actrice
applause *U*	applaudissements
audience	spectateurs
ballerina	ballerine
ballet	ballet
ballet dancer	danseur(-euse) de ballet
to boo	huer ; siffler
box	loge
box office	bureau de location ; guichet
cabaret	cabaret
cast	distribution ; acteurs
to cheer	acclamer
circle	balcon
to clap	applaudir
comedian	comédien(-enne)
comedy	comédie
curtain	rideau
dance	danse
dancer	danseur(-euse)
to direct	mettre en scène
<u>**director**</u>	metteur en scène
drama	drame
dramatic	dramatique
dressing room	loge
dress rehearsal	(répétition) générale
exit	sortie
flop	four
<u>**interval**</u> *(Am : intermission)*	entracte
magic	magie
magician	magicien(-enne)
matinée	matinée
mime artist	mime *(acteur)*

musical	comédie musicale
pantomime *(Br)*	spectacle de Noël
part	rôle
to perform	jouer
performance	représentation
performer	acteur(-trice) ; interprète
play	pièce
playwright	dramaturge
programme	programme
rehearsal	répétition
to rehearse	répéter
role	rôle
scene	scène
scenery *U*	décor(s)
show	représentation
stage	scène
stage set	décor(s)
stalls *(Am : orchestra seats)*	orchestre
theatre	théâtre
tragedy	tragédie

to be• sold out	afficher «complet»
to book seats	réserver des places

Cinema • *Le cinéma*

cinema *(Am : movie theater)*	cinéma
director	réalisateur(-trice)
film *(Am : movie)*	film
to film	filmer
film star *(Am : movie star)*	vedette de cinéma
horror film	film d'épouvante

producer	producteur(-trice)
scary	qui fait peur
screen	écran
script	script
to shoot •	tourner
soundtrack	bande sonore
special effects	effets spéciaux
stuntman *(pl -men)*	cascadeur
stuntwoman *(pl -women)*	cascadeuse
subtitles	sous-titres
thriller	film à suspense
to be • dubbed	être doublé
to star in a film	être la vedette d'un film
it's worth seeing	ça vaut la peine d'être vu

Tune in!

– We went to see that film about the scientists working in space last night.
– Oh yes, it's had great reviews. Is it worth seeing, then?
– Well, yes - the plot was a bit weak and some of the acting wasn't very good, but it has a great soundtrack and it's probably worth seeing for the special effects alone!

SOCIETY & CURRENT AFFAIRS ◢

Society & the state • L'État et la société

anarchist *(n/adj)*	anarchiste
aristocracy	aristocratie
authority	autorité ; pouvoir
citizen	citoyen
class	classe
constitution	constitution
crown	couronne
democracy	démocratie
democratic	démocratique
dictator	dictateur
dictatorship	dictature
emperor	empereur
empire	empire
empress	impératrice
head of state	chef d'État
heir	héritier(-ère)
independence	indépendance
king	roi
lady	lady
lord	lord
the middle class	la classe moyenne
monarchy	monarchie
nobility	noblesse
power	pouvoir
president	président
prince	prince
princess	princesse
queen	reine

to reign	régner
republic	république
revolution	révolution
revolutionary *(n/adj)*	révolutionnaire
royal	royal
royalty	royauté ; membre(s) de la famille royale
to rule	gouverner
ruler	dirigeant(e)
state	État
to succeed	succéder
throne	trône
the upper class	les classes supérieures ; l'aristocratie
the working class	la classe ouvrière

Politics & government • *La politique et le gouvernement*

Voir aussi **Countries & Nationalities**

to abstain	s'abstenir
bill	projet de loi
cabinet	cabinet
candidate	candidat(e)
capitalist *(n/adj)*	capitaliste
Chancellor of the Exchequer *(Br)* ≈	ministre des Finances
civil service	fonction publique
committee	comité
Communist *(n/adj)*	communiste
Conservative *(n/adj)*	conservateur(-trice)
council	conseil ; assemblée
councillor	conseiller(-ère)
to debate	débattre
demonstration	manifestation

Downing Street ...

*Downing Street ou **Number** 10 sont souvent employés pour désigner le gouvernement britannique, car la résidence officielle du Premier ministre (**Prime Minister**) se trouve au n° 10 Downing Street. Celle du ministre des Finances (**Chancellor of the Exchequer**) est au n° 11.*

to elect	élire
election	élection
extremist *(n/adj)*	extrémiste
foreign secretary	ministre des Affaires étrangères
to govern	gouverner
government	gouvernement
home secretary *(Br)*	≈ ministre de l'Intérieur
leader	chef ; leader
left-wing	de gauche
legislation *U*	législation ; loi
Liberal *(n/adj)*	libéral(e)
local government	administration locale
majority	majorité
manifesto	manifeste
mayor	maire
Member of Parliament (MP) *(Br)*	député
minister	ministre
moderate *(n/adj)*	modéré(e)
nationalist party	parti nationaliste
opinion poll	sondage
opposition	opposition
parliament	parlement

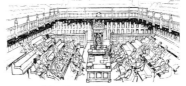

The House of Commons

The Houses of Parliament désigne le Parlement britannique, également appelé Palais de Westminster, où siègent la Chambre des communes et la Chambre des lords.
Chambre basse du Parlement britannique, composée de 650 députés élus au suffrage universel pour une durée maximale de cinq ans, **the House of Commons**, la Chambre des communes, détient le pouvoir législatif.
The House of Lords est la chambre haute du Parlement britannique ; elle comprend environ 1200 membres non élus (pairs à vie et pairs héréditaires). La Chambre des lords est à la fois une seconde chambre législative et une Haute Cour d'appel.

party   parti

Les principaux partis britanniques :
Du XVIIe siècle à 1832, date de la création du Parti conservateur, les **Tories**, défenseurs des prérogatives royales, s'opposaient aux **Whigs**, futurs Libéraux. Aujourd'hui, **Tory** désigne de manière concise le Parti conservateur britannique (**Conservative Party**).
Créé en 1900, le **Labour Party**, ou Parti travailliste, est de tendance socialiste. Il entretient par tradition des rapports étroits avec les syndicats.
Parti politique formé en 1988, le **Liberal Democrats Party** est issu d'une alliance entre le Parti libéral et le Parti social-démocrate. Le Parti libéral-démocrate est la troisième formation politique de Grande-Bretagne.
Scottish National Party : Parti nationaliste écossais, créé en 1934.
Plaid Cymru : Parti nationaliste gallois, créé en 1925.
Green Party : Parti écologiste, créé en 1973.
Ulster Unionist Party : Un des partis d'Irlande du Nord favorables à l'union avec la Grande-Bretagne.
SDLP (Social Democratic and Labour Party) : Parti d'Irlande du Nord appuyé principalement par les catholiques.

policy   politique
political *(adj)*   politique

politician	politicien(-enne)
politics *U*	(la) politique
poll	vote ; scrutin ; élection
prime minister	Premier ministre
proportional representation	représentation proportionnelle
to protest	protester
referendum *(pl -dums OR -da)*	référendum
right-wing	de droite
secretary of state	≈ ministre
shadow cabinet *(Br)* ...	

Le "cabinet fantôme" désigne l'équipe formée par le principal parti d'opposition pour être la réplique du gouvernement au pouvoir. Chaque "ministre fantôme" (**Shadow Minister**) est chargé d'un portefeuille.

socialist *(n/adj)*	socialiste
spokesman *(pl -men)*	porte-parole
spokeswoman *(pl -women)*	porte-parole
statesman *(pl -men)*	homme d'État
to support	soutenir
supporter	partisan
vote	vote
to vote (for/against)	voter (pour/contre)
voter	électeur(-trice)
to be• in office/in power	être au pouvoir

Justice . *La justice*

to accuse sb of sthg	accuser qqn de qqch
accused *(n)*	accusé(e)

to appeal	faire appel
armed robbery	vol à main armée
to arrest	arrêter
assault	agression
to assault	agresser
bail *U*	mise en liberté sous caution
blackmail	chantage
break-in	cambriolage
burglar	cambrioleur(-euse)
burglary	cambriolage
capital punishment	peine de mort
case	affaire
cell	cellule
to charge sb (with sthg)	inculper qqn (de qqch)
CID (Criminal Investigation Department)	
	≈ P.J. (Police Judiciaire)
civil rights	droits civils
court	tribunal
crime	crime
criminal	criminel(-elle)
death penalty	peine de mort
to <u>deny</u>	nier
deterrent	force de dissuasion
to escape	s'échapper
<u>evidence</u> *U*	preuve
fine	amende
fraud	fraude
freedom	liberté
guilty	coupable
high court	cour suprême
illegal	illégal
innocent	innocent

Society & Current Affairs

inquiry	enquête
inspector	inspecteur(-trice)
to investigate	enquêter
investigation	enquête
jail	prison
judge	juge
jury	jury
just	juste
to kidnap	kidnapper
kidnapper	kidnappeur(-euse)
to kill	tuer
killer	assassin
law	loi
lawyer	avocat(e)
legal	légal
legal system	système judiciaire
to lie (about sthg)	mentir (à propos de qqch)
magistrate	magistrat(e)
mugging	agression
murder	meurtre
to murder	tuer
murderer	assassin ; meurtrier(-ère)
offence	délit
police	police
policeman *(pl -men)*	agent de police
police officer	policier
policewoman *(pl -women)*	femme policier
prison	prison
prisoner	détenu(e)
prison officer	gardien(-enne) de prison
proof *U*	preuve
to prove	prouver

to punish	punir
punishment	punition
ransom	rançon
rape	viol
to rape	violer
rapist	violeur
right *(n)*	droit
riot	émeute
to rob sb of sthg	voler qqch à qqn
robber	bandit
robbery	vol
Scotland Yard	≈ le Quai des Orfèvres

Nom désignant couramment le siège de la police londonienne d'après son ancienne adresse. Les nouveaux locaux s'appellent **New Scotland Yard**. En cas d'enquêtes importantes, de portée nationale ou internationale, la compétence de **Scotland Yard** s'étend à tout le pays.

security	sécurité
sentence	condamnation
smuggler	contrebandier(-ère)
solicitor	avocat(e)
solitary confinement	régime cellulaire
to stab	poignarder
statement	déclaration
to steal ⁺	voler
stolen	volé
to strangle	étrangler
suspect	suspect(e)
to swear ⁺	jurer
theft	vol
thief *(pl -ves)*	voleur(-euse)
trial	procès

unjust	injuste
vandal	vandale
vandalism	vandalisme
verdict	verdict
victim	victime
violence	violence
violent	violent
witness	témoin
to witness	être témoin de
witness box	barre des témoins
to be• against the law	être illégal
to be• convicted of murder	être reconnu coupable de meurtre
to be• on trial	passer en jugement
to be• sentenced to prison/to death	être condamné à la prison/à mort
to break• the law	violer la loi
to commit a crime	commettre un crime
to give• evidence	témoigner
to plead• guilty/not guilty	plaider coupable/ non coupable

Tune in!

– Are you for or against capital punishment?
– I'm not sure. Some crimes are just so awful - perhaps the death penalty would be a deterrent.
– But what if an innocent person got sentenced to death? And, in any case, do we have the right to take another life? After all, two wrongs don't make a right, do they?

The economy • *L'économie*

boom	boom
the Budget	le budget
commerce *U*	commerce
the City	la 'City'

Le centre financier de la Grande-Bretagne est situé dans la City of London, un petit quartier historique de Londres où se trouvent la Bourse et la Banque d'Angleterre. Le terme the City est souvent employé pour désigner le monde de la finance.

the Common Market	le Marché commun
currency	devise
to decrease	diminuer
deflation	déflation
depression	dépression
economic	économique
economics	économie
ECU (European Currency Unit)	écu (monnaie unique européenne)
E(E)C (European (Economic) Community)	C.E.E. (Communauté économique européenne)
EMU (European Monetary Union)	U.E.M. (Union économique et monétaire)
exchange rate	taux de change
export	exportation
to export	exporter
to fall•	baisser
<u>**figures**</u>	chiffres
foreign exchange	change
free market economy	économie de marché

import	importation
to import	importer
to increase	augmenter
inflation	inflation
interest rate	taux d'intérêt
market	marché
productivity *U*	productivité
recession	récession
to rise•	augmenter
shares	actions
the Stock Exchange	la Bourse
stock market	marché financier
trade *U*	commerce

Social issues • Les questions sociales

abortion	avortement
AIDS *U*	sida
alcoholic *(n/adj)*	alcoolique
alcoholism	alcoolisme
anti-Semitism	antisémitisme
beggar	mendiant(e)
contraception	contraception
contraceptive	contraceptif
discrimination	discrimination
drug addict	toxicomane
drug(s) dealer	revendeur de drogue
drugs	stupéfiants ; drogue
equality	égalité
ethnic minority	minorité ethnique
euthanasia	euthanasie
feminism	féminisme

feminist *(n/adj)*	féministe
gay *(n/adj)*	homosexuel(-elle)
heterosexual *(n/adj)*	hétérosexuel(-elle)
homelessness	le problème des sans-abri
homosexual *(n/adj)*	homosexuel(-elle)
immigrant *(n/adj)*	immigrant(e)
immigration	immigration
lesbian *(n/adj)*	lesbienne
overdose	overdose
the Pill	la pilule
poverty	pauvreté
<u>**prejudice**</u>	préjugé
prejudiced	plein de préjugés
problem	problème
prostitute	prostitué(e)
prostitution	prostitution
race	race
racism	racisme
racist *(n/adj)*	raciste
sexism	sexisme
sexist *(n/adj)*	sexiste
social work U	travail social
social worker	assistant(e) social(e)
unemployment	chômage
to be • drunk	être ivre
to be • HIV positive	être séropositif
to be • homeless	être sans-abri
to take • drugs	se droguer

International issues • *Les affaires internationales*

aid *U*	aide
apartheid	apartheid
charity	œuvre de bienfaisance
crisis *(pl -ses)*	crise
current affairs	questions d'actualité
the developing countries	les pays en voie de développement
disaster	désastre
epidemic	épidémie
famine	famine
to hijack	détourner
hijacker	pirate de l'air
hostage	otage
human rights	droits de l'homme
the Red Cross	la Croix-Rouge
refugee	réfugié(e)
relief organization	organisation de secours
rescue worker	secouriste
spy	espion(-onne)
to starve	souffrir de la faim ; mourir de faim
terrorism	terrorisme
terrorist	terroriste
the Third World	le tiers-monde
the UN (United Nations)	l'O.N.U. (Organisation des Nations unies)
voluntary	bénévole
volunteer	volontaire
the West	l'Occident ; l'Ouest
to raise money	réunir des fonds ; faire une collecte

Tune in!

> – Did you see that concert on TV at the weekend?
> – No, was it good?
> – Yes, there were lots of big stars and the profits went to help fight famine in the Third World.
> – Really? How much money did they raise?
> – Oh, thousands of pounds - they're giving it all to charities and relief organisations.

War & peace • *La guerre et la paix*

aircraft carrier	porte-avions
airforce	armée de l'air
air raid	raid aérien
ally	allié
ammunition *U*	munitions
the armed forces	les forces armées
arms	armes
army	armée (de terre)
to attack	attaquer
battle	bataille
battlefield	champ de bataille
to blow • up	faire exploser
bomb	bombe
to bomb	bombarder
bomber	bombardier
bomb shelter	abri anti-aérien
bullet	balle
to capture	faire prisonnier
ceasefire	cessez-le-feu
chemical weapons	armes chimiques
civilian *(n/adj)*	civil(e)
civil war	guerre civile

commander	commandant
conventional weapons	armes conventionnelles
courage	courage
defeat	défaite
to defeat	vaincre
defence	défense
to defend	défendre
disarmament	désarmement
enemy	ennemi
to explode	exploser
explosion	explosion
to fight•	se battre
to fire	tirer
force	force
gas mask	masque à gaz
general	général
guerrilla	guérilla
gun	revolver ; fusil
to invade	envahir
invasion	invasion
military	militaire
mine	mine
missile	missile
NATO	O.T.A.N.
navy	marine
negotiations	négociations
neutral	neutre
nuclear	nucléaire
officer	officier
pacifist	pacifiste
peace *U*	paix

peacekeeping force	forces de maintien de la paix
prisoner of war	prisonnier de guerre
rebel *(n)*	rebelle
rifle	fusil
sanctions	sanctions
to shoot • **(at)**	tirer (sur)
siege	siège
soldier	soldat
submarine	sous-marin
supplies	ravitaillement
to surrender	se rendre
talks	pourparlers
tank	char
threat	menace
troops	troupes
truce	trêve
victory	victoire
war	guerre
warship	navire de guerre
weapon	arme
wounded *(n/adj)*	blessé(e)
to be • **at war (with)**	être en guerre (avec)
to be • **killed in action**	être tué au combat
to declare war (on)	déclarer la guerre (à)
to sign a treaty	signer un traité
to win •**/lose** • **a war**	gagner/perdre la guerre
the First World War	la Première Guerre mondiale
the Second World War	la Seconde Guerre mondiale

Religion & worship • *Les religions et les cultes*

altar	autel
Anglican *(n/adj)*	anglican(e)
archbishop	archevêque
atheist	athée
bishop	évêque
Buddhist *(n/adj)*	bouddhiste
cathedral	cathédrale
Catholic *(n/adj)*	catholique
ceremony	cérémonie
chapel	chapelle
Christian *(n/adj)*	chrétien(ne)
Christmas	Noël
church	église
convent	couvent
Easter	Pâques
God	Dieu
Hindu *(n/adj)*	hindou(e)
Jew(ess) *(n)*	juif (-ive)
Jewish	juif
mass	messe
minister	pasteur
monastery	monastère
monk	moine
mosque	mosquée
Muslim *(n/adj)*	musulman(e)
nun	religieuse
to pray	prier
prayer	prière
priest	prêtre
Protestant *(n/adj)*	protestant(e)

La Société et L'Actualité

religion	religion
religious *(adj)*	religieux
service	service
Sikh *(n/adj)*	sikh
synagogue	synagogue
temple	temple
vicar	pasteur
to worship	vénérer
belief	croyance
to believe in God	croire en Dieu
conscience	conscience
devil	diable
evil	mal
faith	foi
Heaven	paradis
Hell	enfer
immoral	immoral
sin	péché
soul	âme
spirit	esprit

NUMBERS ◢

Cardinal numbers • *Les nombres cardinaux*

Voir aussi **Shopping**, Money

0	**zero**	13	**thirteen**	60	**sixty**
1	**one**	14	**fourteen**	70	**seventy**
2	**two**	15	**fifteen**	80	**eighty**
3	**three**	16	**sixteen**	90	**ninety**
4	**four**	17	**seventeen**	100	**one hundred**
5	**five**	18	**eighteen**	110	**one hundred and ten**
6	**six**	19	**nineteen**	200	**two hundred**
7	**seven**	20	**twenty**	300	**three hundred**
8	**eight**	21	**twenty-one**	501	**five hundred and one**
9	**nine**	22	**twenty-two**	1000	**one thousand**
10	**ten**	30	**thirty**	2000	**two thousand**
11	**eleven**	40	**forty**	1000000	**one million**
12	**twelve**	50	**fifty**		

Ordinal numbers • *Les nombres ordinaux*

1st	**first**	11th	**eleventh**
2nd	**second**	12th	**twelfth**
3rd	**third**	13th	**thirteenth**
4th	**fourth**	40th	**fortieth**
5th	**fifth**	50th	**fiftieth**
6th	**sixth**	61st	**sixty-first**
7th	**seventh**	72nd	**seventy-second**
8th	**eighth**	83rd	**eighty-third**
9th	**ninth**	95th	**ninety-fifth**
10th	**tenth**	101st	**one hundred and first**

Les Chiffres et Les Nombres

to add	additionner
approximately	environ
average	moyenne
billion	billion *(Br)* ; milliard *(Am)*
to calculate	calculer
decimal	décimale
to divide	diviser
dozen	douzaine
<u>**figure**</u>	chiffre
first	premier
fraction	fraction
half *(n/adj)*	moitié ; demi
last	dernier
the least	le plus petit
to multiply	multiplier
number	nombre
quarter	quart
to subtract	soustraire
third	tiers
three quarters	trois quarts
twice	deux fois
to be•first/last	être le premier/dernier
a/one hundred	cent
a/one thousand	mille
five minus three	cinq moins trois
five point five (5.5)	cinq virgule cinq (5,5)
four times six	quatre fois six
half a dozen	demi-douzaine
Henry the Eighth	Henry VIII
ten divided by five	dix divisé par cinq
two plus two	deux plus deux

QUANTITY ◢

Quantity • *Poids, quantités et mesures*

acre	(≈ demi-hectare)
area	superficie
centimetre	centimètre
distance	distance
foot *(pl feet)*	pied (0,30 m)
gallon	gallon (*Br* = 4,546 l ; *Am* = 3,785 l)
gramme	gramme
heavy	lourd
inch	pouce (2,54 cm)
kilo(gramme)	kilo
kilometre	kilomètre
length *U*	longueur
litre	litre
to measure	mesurer
metre	mètre
mile	mile (1609 m)
millimetre	millimètre
ounce	once (28,349 g)
per inch/metre	par pouce/mètre
pint	pinte (*Br* = 0,568 l ; *Am* = 0,473 l)
pound	livre (453,6 g)
size *U*	taille ; format
ton(ne)	tonne
volume	volume
to weigh	peser
weight	poids
yard	yard (91,44 cm)

TIME

Time • *L'Heure*

what's the time?, what time is it? quelle heure est-il?

it's ...   c'est ...

five o'clock	**5 h 00**
five past five *(Am : five after five)*	**5 h 05**
ten past five *(Am : ten after five)*	**5 h 10**
(a) quarter past five *(Am : a quarter after five)*	**5 h 15**
twenty past five *(Am : twenty after five)*	**5 h 20**
twenty-five past five	**5 h 25**
(Am : twenty-five after five)	
half past five *(Am : five thirty)*	**5 h 30**
twenty-five to six	**5 h 35**
twenty to six	**5 h 40**
(a) quarter to six	**5 h 45**
ten to six	**5 h 50**
five to six	**5 h 55**

afternoon	après-midi
am	du matin
daily	quotidien ; tous les jours
dawn	aube
day(time) *(U)*	jour
early	tôt ; matinal
evening	soir
hour	heure
hourly	toutes les heures ; à l'heure
to last	durer
late	en retard ; tard

Time

midday	midi
midnight	minuit
minute	minute
moment	moment
morning	matin
night	nuit
night(time) *U*	nuit
noon	midi
pm	de l'après-midi ; du soir
second	seconde
sunrise	lever du soleil
sunset	coucher du soleil
time	heure ; époque

a long time	longtemps
an hour and a half	une heure et demie
at the latest	au plus tard
by midday	d'ici midi
half an hour	une demi-heure
have you got the time?	avez-vous l'heure?
my watch is a few minutes fast/slow	ma montre a quelques minutes d'avance/de retard
quarter of an hour	quart d'heure
three quarters of an hour	trois quarts d'heure
three times a day	trois fois par jour
to be• early/late/on time	être en avance/en retard/à l'heure

DATE ◢

Date . *Les dates*

Monday	lundi
Tuesday	mardi
Wednesday	mercredi
Thursday	jeudi
Friday	vendredi
Saturday	samedi
Sunday	dimanche
January	janvier
February	février
March	mars
April	avril
May	mai
June	juin
July	juillet
August	août
September	septembre
October	octobre
November	novembre
December	décembre
AD	après J.-C.
age	âge ; époque
annual	annuel
annually	annuellement
BC	avant J.-C.
calendar	calendrier
century	siècle
date	date
day	jour

Les Dates

fortnight	quinze jours
future *(n/adj)*	avenir ; futur
month	mois
monthly	tous les mois ; mensuel
past *(n/adj)*	passé
present *(n/adj)*	présent
today	aujourd'hui
tomorrow	demain
tonight	ce soir ; cette nuit
week	semaine
weekday	jour de semaine
weekend	week-end
weekly *(adv/adj)*	toutes les semaines ; hebdomadaire
year	année ; an
yesterday	hier

a month ago	il y a un mois
I'll see you on Friday	on se verra vendredi
I go swimming on Fridays	je vais à la piscine tous les vendredis
last/next week	la semaine dernière/prochaine
nineteen hundred and ...	mil neuf cent ...
the day before/after	la veille ; le lendemain
the day after tomorrow	après-demain
the day before yesterday	avant-hier
the following/previous day	le lendemain ; la veille
the twentieth century	le vingtième siècle

what's the date?	quelle est la date aujourd'hui?
it's the twenty-fifth of December	c'est le 25 décembre
(Am : December twenty-fifth)	

GENERAL VOCABULARY

Tune in! vocabulary • *Le vocabulaire des dialogues*

Certaines expressions figurant dans les dialogues peuvent poser problème. Voici les principales avec leur(s) traduction(s) :

and about time too!	c'est pas trop tôt!
for goodness' sake!	pour l'amour du ciel! ; bon sang (de bonsoir)!
for the time being	pour l'instant
hang on!	attends!
if you ask me, ...	si vous voulez mon avis, ...
in my day	de mon temps
mind you, ...	remarque, ...
no wonder	c'est pas étonnant
now that you come to mention it, ...	ça me fait penser, ...
the whole works	et tout le reste
what's up?	qu'est-ce qui se passe?
worse luck!	pas de chance!
you could've fooled me!	tu plaisantes!
you're telling me!	ne m'en parle pas!
you've got to be/you must be joking!	ce n'est pas possible ; tu plaisantes!

General Vocabulary

Adverbs .... Les adverbes ...

... of manner . ... de manière

alone seul
by chance par hasard
on purpose exprès
personally personnelle-ment
quickly vite
slowly lentement
suddenly soudain ; subitement
together en même temps
well bien

... of time . ... de temps

after(wards) après
already déjà
at last au moins
at once tout de suite
before avant
eventually finalement
finally finalement
immediately immé-diatement
later plus tard
next ensuite
not ... yet pas encore
now maintenant

nowadays de nos jours
recently récemment
soon bientôt
then alors ; puis ; ensuite
yet encore ; déjà

... of place . ... de lieu

anywhere quelque part ; n'importe où
away (au) loin
back de retour
everywhere partout
far loin
here ici
home chez soi
in(side) dedans
near(by) près
nowhere nulle part
out(side) dehors
somewhere quelque part

... of frequency . ... de fréquence

again de nouveau ; encore
always toujours
as usual comme d'habi-tude
generally généralement
(hardly) ever (presque) jamais

never ne ... jamais
no longer ne ... plus
now and then de temps en temps
often souvent
once une fois ; jadis
seldom rarement
sometimes quelquefois
still toujours ; encore
usually d'habitude

... of degree .
... d'appréciation

a bit un peu
absolutely absolument
all tout
almost presque
a lot beaucoup
certainly certainement
completely complète-ment
definitely certainement
enough assez
especially spécialement
even même
hardly à peine
just juste
less moins
mainly principalement
more plus
most extrêmement

nearly presque
quite tout à fait
really vraiment
slightly légèrement
so aussi ; si ; tellement
surely sûrement
terribly terriblement
too trop
utterly absolument
very très
very much beaucoup

Sentence adverbs .
Adverbes portant sur une phrase

also aussi
by the way au fait
fortunately heureuse-ment
incidentally au fait
instead plutôt
luckily heureusement
possibly peut-être
probably probablement
too aussi
unfortunately mal-heureusement

Conjunctions . Les conjonctions
after après que
although bien que

General Vocabulary

and et
as comme
as soon as aussitôt que
because parce que
before avant que
but mais
either ... or soit ... soit
for parce que
if si
in case au cas (où)
in order to pour ; afin de
neither ... nor ni ... ni
or ou
since depuis que
so donc
that que
then ensuite
till jusqu'à (ce que)
unless à moins que
until jusqu'à (ce que)
when lorsque
whether si
while pendant que ; tant que

Prepositions . *Les prépositions*

about au sujet de ; vers
above au-dessus de
across à travers
after après

against contre
along le long de
among(st) parmi ; entre
at à ; chez
before avant
behind derrière
below sous
beside à côté de
between entre
by par ; en
down en bas de
during pendant
except sauf
for pour
from de
in dans ; en
in front of devant
into dans ; en
like comme
near près de
next to près de
of de
off de
on sur
out of hors de
over sur ; au-dessus de
round autour de
since depuis
through à travers
till jusqu'à
to à

towards vers
under sous
underneath sous
until jusqu'à
with avec
without sans

Personal pronouns .
Les pronoms personnels

I je
you tu ; vous ; te ; toi
he il
she elle
it il ; elle ; le ; la ; lui
we nous
they ils ; elles
me me ; moi
him le ; lui
her la ; lui ; elle
us nous
them les ; leur ; eux

Reflexive pronouns .
Les pronoms réfléchis

myself me ; moi-même
yourself te ; toi-même ;
vous ; vous-même
himself se ; lui(-même)
herself se ; elle(-même)
itself se ; lui(-même) ;
elle(-même)
ourselves nous ; nous-
mêmes

yourselves vous ; vous-
mêmes
themselves se ; eux-
mêmes ; elles-mêmes

Possessives . Les possessifs

my mon
your ton ; votre
his/her/its son
our notre
their leur

mine le mien
yours le tien ; le vôtre
his/hers/its le sien
ours le nôtre
theirs le leur

Demonstratives . Les démonstratifs

this ce ; ceci
that ce ; ça ; cela
these ces ; ceux-ci ;
celles-ci
those ces ; ceux-là ;
celles-là

Indefinite pronouns . Les pronoms indéfinis

anybody, anyone
quelqu'un ; quiconque
anything quelque
chose ; n'importe quoi

General Vocabulary

everybody, everyone tout le monde ; chacun

everything tout

nobody, no-one personne

nothing rien

somebody, someone quelqu'un

something quelque chose

Quantifiers . Les quantifieurs

(a) few peu de

all tout

(an)other (un) autre

any aucun ; n'importe quel

certain certain

each chaque ; chacun

every chaque

a lot of, lots of beaucoup de

many beaucoup (de)

most le plus ; la plupart de

much beaucoup (de)

no pas de ; aucun

none aucun

several plusieurs

some du/de la/des ; en

Question words . Les mots interrogatifs

how? comment?

how long? combien de temps?

how many/much? combien?

what? (qu'est-ce) que? quoi?

when? quand?

where? où?

which? quel?

who? qui?

why? pourquoi?

Irregular verbs . *Les verbes irréguliers*

infinitif	prétérit	participe passé	
to be	was	been	être
to beat	beat	beaten	battre
to become	became	become	devenir
to begin	began	begun	commencer
to bet	bet	bet	parier
to bite	bit	bitten	mordre
to bleed	bled	bled	saigner
to blow	blew	blown	souffler
to break	broke	broken	casser
to breed	bred	bred	élever
to bring	brought	brought	apporter
to burn	burned *ou*	burnt	brûler
to burst	burst	burst	éclater
to buy	bought	bought	acheter
to catch	caught	caught	attraper ; prendre
to choose	chose	chosen	choisir
to come	came	come	venir
to cost	cost	cost	coûter
to cut	cut	cut	couper
to dig	dug	dug	creuser
to do	did	done	faire
to draw	drew	drawn	tirer ; dessiner
to dream	dreamed *ou* dreamt		rêver
to drink	drank	drunk	boire

General Vocabulary

infinitif	prétérit	participe passé	
to drive	drove	driven	conduire
to eat	ate	eaten	manger
to fall	fell	fallen	tomber
to feed	fed	fed	nourrir
to feel	felt	felt	se sentir
to fight	fought	fought	se battre
to find	found	found	trouver
to fly	flew	flown	voler
to forbid	forbade	forbidden	interdire
to forget	forgot	forgotten	oublier
to forgive	forgave	forgiven	pardonner
to freeze	froze	frozen	geler
to get	got	got	obtenir ; recevoir
to give	gave	given	donner
to go	went	gone	aller
to grow	grew	grown	grandir
to hang	hung	hung	suspendre
to have	had	had	avoir
to hear	heard	heard	entendre
to hide	hid	hidden	(se) cacher
to hit	hit	hit	frapper
to hold	held	held	tenir
to hurt	hurt	hurt	blesser
to keep	kept	kept	garder ; retenir
to kneel	kneeled *ou* knelt		s'agenouiller
to know	knew	known	savoir ; connaître

Vocabulaire Général

infinitif	prétérit	participe passé	
to lay	laid	laid	poser ; mettre
to lead	led	led	mener
to learn	learned *ou*	learnt	apprendre
to leave	left	left	partir ; quitter
to let	let	let	laisser ; louer
to lie	lay	lain	s'allonger
to light	lit	lit	allumer
to lose	lost	lost	perdre
to make	made	made	faire
to mean	meant	meant	vouloir dire
to meet	met	met	rencontrer
to pay	paid	paid	payer
to plead	pleaded *ou*	pled	plaider
to put	put	put	mettre
to read	read	read	lire
to ride	rode	ridden	monter à cheval
to ring	rang	rung	sonner
to rise	rose	risen	se lever ; augmenter
to run	ran	run	courir
to say	said	said	dire
to see	saw	seen	voir
to sell	sold	sold	vendre
to send	sent	sent	envoyer
to set	set	set	mettre
to shake	shook	shaken	trembler
to shine	shone	shone	briller

General Vocabulary

infinitif	prétérit	participe passé	
to shoot	shot	shot	tirer
to show	showed	shown	montrer
to shut	shut	shut	fermer
to sing	sang	sung	chanter
to sit	sat	sat	être assis
to sleep	slept	slept	dormir
to smell	smelled *ou* smelt		sentir
to sow	sowed	sown	semer
to speak	spoke	spoken	parler
to spell	spelled *ou* spelt		épeler
to spend	spent	spent	dépenser ; passer
to split	split	split	trancher
to spread	spread	spread	étendre
to stand	stood	stood	être debout
to steal	stole	stolen	voler
to stick	stuck	stuck	coller
to swear	swore	sworn	jurer
to sweep	swept	swept	balayer
to swim	swam	swum	nager
to take	took	taken	prendre ; apporter
to teach	taught	taught	enseigner
to tell	told	told	raconter
to think	thought	thought	penser
to throw	threw	thrown	lancer ; jeter

infinitif	prétérit	participe passé	
to understand	understood	understood	comprendre
to undo	undid	undone	défaire
to wake	woke	woken	réveiller
to wear	wore	worn	porter
to win	won	won	gagner
to write	wrote	written	écrire

GUIDE DE PRONONCIATION ◢

Vous trouverez ci-dessous des explications et des exemples illustrant les sons de l'anglais (exceptés **d**, **f**, **m**, et **v** qui se prononcent comme en français). Après la lettre elle-même sont données ses transcriptions phonétiques [voyelles brèves, voyelles longues (:) et diphtongues], tandis que les caractères **gras** indiquent les sons qui s'écrivent avec au moins deux lettres. N'oubliez pas que le signe (') indique que la syllabe suivante porte l'accent tonique. Pour l'explication du symbole /ˣ/, reportez-vous à la lettre **R**.

A æ   *ex.* Dad, hat.

    ɑː   correspond à la prononciation britannique de certains mots comme **after**, **bath**. Toutefois beaucoup d'Anglais et la plupart des Américains prononcent aussi /æ/.

    eɪ   avec les syllabes accentuées parfois, surtout si le **a** est suivi d'une consonne et d'un **e**, *ex.* plate, danger, able.

    ɒ   dans quelques mots, *ex.* wash, watch, equality.

    ə   si la voyelle n'est pas accentuée, *ex.* arrive [ə'raɪv], banana [bə'nɑːnə].

    age s'il est inaccentué à la fin d'un mot il se prononce /ɪdʒ/, *ex.* village, manage.

    all et parfois **al** se prononcent /ɔːl/, *ex.* fall, hall, always, MAIS ATTENTION calm [kɑːm], shallow ['ʃæləʊ], wallet ['wɒlɪt].

    ar se prononce généralement /ɑː/, *ex.* dark, market, MAIS ATTENTION warn [wɔːn], quarter ['kwɔːtəˣ], towards [tə'wɔːdz].

    ai, **ay**, ou un **a** suivi par une consonne + **e** se prononcent généralement /eɪ/, *ex.* **wait, day, make,** MAIS ATTENTION **Friday** ['fraɪdɪ], **quay** [ki:].

are et **air** à la fin d'un mot se prononcent généralement /eə/, *ex.* **care, prepare, fair, stairs.**

au, aw correspond généralement au son /ɔ:/, *ex.* **cause, law,** MAIS ATTENTION **because** [bɪ'kɒz], **sausage** ['sɒsɪdʒ], **gauge** [geɪdʒ].

B b *ex.* **bad, obvious.** Il y a quelques mots dans lesquels le **b** ne se prononce pas, *ex.* **climb** [klaɪm], **lamb** [læm], **doubt** [daʊt], **plumber** ['plʌmə˞].

C k s'il est placé avant un **a,** un **o,** un **r** ou un **u,** *ex.* **cat, cow, cross, cut.**

s s'il est placé avant un **e,** un **i** ou un **y,** *ex.* **certainly, cinema, bicycle,** MAIS ATTENTION **delicious** [dɪ'lɪʃəs], **precious** ['preʃəs].

ch se prononce généralement /tʃ/, *ex.* **cheese, catch,** MAIS ATTENTION **machine** [mə'ʃi:n], **chemist** ['kemɪst], **ache** [eɪk], **technical** ['teknɪkl], **spinach** ['spɪnɪdʒ], **yacht** [yɒt].

E e s'il est placé avant une consonne, *ex.* **metal, pet,** MAIS ATTENTION **pretty** ['prɪtɪ].

ə lorsque le **e** n'est pas accentué, en particulier à la fin d'un mot, *ex.* **player** [pleə˞].

ɪ Le **e** se prononce ainsi lorsqu'il n'est pas accentué, en particulier au début d'un mot, *ex.* **decide** [dɪ'saɪd], **pocket** ['pɒkɪt].

ea se prononce très souvent /i:/, *ex.* **heat** [hi:t], peace [piːs], MAIS ATTENTION **head** [hed], **heavy** ['hevɪ], **breakfast** ['brekfast], **break** [breɪk].

ear se prononce de différentes façons, *ex.* **near** [nɪə˞], **early** ['ɜːlɪ], **heart** [hɑːt], **bear** [beə˞].

ee /iː/, *ex.* **see**, **meet**.

er /ɜː/, ou /ə/ dans une syllabe non accentuée, *ex.* **term** [tɜːm], **perhaps** [pə'hæps].

ew /uː/ ou /juː/, *ex.* **flew**, **few**, MAIS ATTENTION **sew** [səʊ].

-ed (terminaison des verbes réguliers au prétérit et au participe passé) se prononce soit /ɪd/, si la base verbale se termine par /d/ ou /t/ (comme **avoided**, **hunted**), soit /t/ si le verbe se termine par /p/, /k/, /tʃ/, /f/, /θ/, /s/ ou /ʃ/, *ex.* **cooked** [kʊkt], **finished** ['fɪnɪʃt]. Pour tous les autres verbes réguliers, **-ed** se prononce /d/, *ex.* **explained** [ɪk'spleɪnd], **cried** [kraɪd].

G g *ex.* **get**, **give**, **bag**.

dʒ dans certains cas, comme devant un **e** ou un **i**, *ex.* **generally**, **page**, **engine**.

gh ne se prononce pas dans certains mots, *ex.* **eight** [eɪt], **neighbour** ['neɪbə˞], **height** [haɪt], MAIS ATTENTION **laugh** [lɑːf]. Voir aussi **igh** et **ough**.

gu se prononce /g/ dans certains mots, *ex.* **guest** [gest], **vague** [veɪg].

H h *ex.* **hat**, **heavy**. Remarquez que certains mots commencent par un **h** muet, *ex.* **hour** ['aʊə˞].

I ɪ *ex.* **hit**, **fill**, **milk** .

aɪ parfois, si les syllabes sont accentuées, surtout quand le **i** est suivi d'une consonne et d'un **e**, ou avec **igh**,

ex. child, nice, idea, night, MAIS
ATTENTION children ['tʃɪldrən], active ['æktɪv],
engine ['endʒɪn].

ie se prononce généralement /iː/, *ex.* field, piece.

ir se prononce généralement /ɜː/, *ex.* dirty, third,
MAIS ATTENTION iron ['aɪən].

ire se prononce généralement /aɪəˣ/, *ex.* fire, require.

J dʒ *ex.* job, just.

K k *ex.* keep, back.

kn se prononce /n/, *ex.* kneel, knife.

L l Remarquez que pour certains mots, ce son
constitue presque une syllabe, *ex.* leg, letter,
little, metal. Dans les mots suivants, le **l** ne se
prononce pas : half [hɑːf], walk [wɔːk], could [kʊd].

N n *ex.* name, nine, hand. Remarquez que pour
certains mots, ce son constitue presque une
syllabe, *ex.* curtain. Dans certains mots, **n** ne se
prononce pas, *ex.* autumn ['ɔːtəm].

ŋ avant un **c**, un **k** et un **g**, *ex.* uncle, pink, hang,
interesting.

O ɒ lorsque le **o** est suivi par une consonne simple,
doublée, ou par deux consonnes différentes,
ex. hot, coffee, cost.

əʊ est courant également, en particulier lorsque le **o**
est suivi par une consonne + **e**, *ex.* hole, stone,
hotel, most, MAIS ATTENTION done [dʌn],

move [muːv], shoe [ʃuː].

ʌ   dans quelques mots, *ex.* mother, comfort, govern, one, none.

ə   dans une syllabe inaccentuée, *ex.* collect [kə'lekt], tomato [tə'mɑːtəʊ].

oa   se prononce généralement /əʊ/, *ex.* boat, loaf.

oi, oy se prononcent généralement /ɔɪ/, *ex.* toy, voice.

or   se prononce généralement /ɔː/, *ex.* more, sort, MAIS ATTENTION lorry ['lɒrɪ], orange ['ɒrɪndʒ].

oo   se prononce soit /uː/, soit /ʊ/, *ex.* loose [luːs], look [lʊk], MAIS ATTENTION blood [blʌd], brooch [brəʊtʃ].

ou, ow se prononcent le plus souvent /aʊ/, *ex.* loud, sound, cow, town ; **ow** peut également se prononcer /əʊ/, *ex.* low, know et **ou** peut aussi avoir différentes prononciations, *ex.* soup [suːp], touch ['tʌtʃ], pour [pɔːˣ], colour ['kʌləˣ], famous ['feɪməs].

ough a différentes prononciations, *ex.* cough [kɒf], enough [ɪ'nʌf], although [ɔːl'ðəʊ], thought [θɔːt], plough [plaʊ].

P p   *ex.* pen [pen], happy ['hæpɪ].

ph se prononce /f/, *ex.* phone [fəʊn], photograph ['fəʊtəgrɑːf].

Q kw   *ex.* question, quick, MAIS ATTENTION cheque [tʃek], technique [tek'niːk]. Remarquez que la lettre **q** est toujours suivie par la lettre **u**.

R r   en anglais standard, il se prononce uniquement

avant une voyelle. En anglais américain, le **r** se
prononce toujours. Remarquez que le **r** modifie
la prononciation de la voyelle qui le précède,
ex. **narrow, present,** MAIS **farm** [fɑːm],
storm [stɔːm] ; se reporter aux lettres **A, E, I, O**
et **U** pour plus d'explications.
Un **r** final ne se prononce que si le mot suivant
commence par une voyelle. On le représente
par le symbole /ˣ/, *ex.* **driver** [draɪvəˣ], **stare** [steəˣ],
MAIS **stare at** ['steər æt].

S s lorsqu'il commence un mot, ou qu'il est suivi
de **c, f, k, p, t** ou d'un autre **s**, *ex.* **six, escape,**
ask, especially, mistake, miss. Sinon, le **s** se
prononce soit /s/, soit /z/, *ex.* **season** [siːzn],
husband ['hʌzbənd], **asleep** [ə'sliːp]. Quand le **s**
correspond à la terminaison du pluriel et à celle
de la 3ᵉ personne du singulier du présent simple,
la prononciation est /s/ après /k/, /f/, /p/, /t/ et
/θ/, et /z/ après les autres sons, *ex.* **caps** [kæps],
bills [bɪlz] ; dans ces cas-là **es** se prononce /ɪz/, *ex.*
matches ['mætʃɪz].

  se en fin de mot, se prononce généralement /z/,
ex. **rose** [rəʊz].

  sh se prononce /ʃ/, *ex.* **dish, fashion.**

  sion en fin de mot, se prononce /ʒn/, *ex.*
explosion, television.

  ss se prononce /s/, *ex.* **miss,** mais **ss** se prononce
parfois /ʃ/ quand il est suivi d'un **i** ou d'un **u**, *ex.*
permission [pə'mɪʃn], **issue** ['ɪʃuː].

T t *ex.* **toast, tray.**

Guide de Prononciation

ʃ, tʃ avec certains mots, en milieu de mot devant un **i** ou
un **u**, *ex.* edition [ɪ'dɪʃn], **patient** ['peɪʃnt], **ambitious**
[æm'bɪʃəs], **question** ['kwestʃən],
picture ['pɪktʃəˣ].
Dans les mots se terminant par **ation**, le **a** est toujours
accentué, *ex.* occupation [ɒkju:'peɪʃn].

th se prononce généralement /θ/ en début ou fin de mot,
ex. thank, thin, bath.

ð correspond à la prononciation des déterminants
comme **this** [ðɪs] et **the** [ði:, ðə] ; de **there** [ðeəˣ] et de
than [ðæn]. A l'intérieur d'un mot, on rencontre soit
/θ/, soit /ð/, *ex.* **nothing** ['nʌθɪŋ], **mother** ['mʌðəˣ].

U ʌ *ex.* funny, under.

u:, ju: en particulier lorsque le **u** et suivi par un **e** ou par une
consonne + **e,** *ex.* **music** ['mju:zɪk], **truth** [tru:θ], **blue**
[blu:], **huge** [hju:dʒ]. Peut également se prononcer /ʊ/,
en particulier devant un **l** et **sh,** *ex.* **pull** [pʊl], **push**
[pʊʃ], **put** [pʊt], ou encore /ə/ dans une syllabe inaccentuée, *ex.* **suppose** [sə'pəʊz].

ui /u:/ comme dans **bruise, cruise,** ou /ɪ/ comme dans
build.

ur se prononce généralement /ɜ:/, ou /ə/ dans une syllabe
inaccentuée, *ex.* **curtain** ['kɜ:tn], **surprise** [sə'praɪz].

uy /aɪ/ comme dans **buy.**

W w *ex.* wet [wet], MAIS ATTENTION **answer** ['ɑ:nsəˣ],
two [tu:].

wh se prononce /w/ *ex.* **when, where,** MAIS ATTENTION
who [hu:], **whose** [hu:z].

wr se prononce /r/ comme dans **wrong** [rɒŋ].

X ks *ex.* **taxi** ['tæksɪ]. Cependant, **ex** se prononce /ɪgz/ en début de mot lorsqu'il est suivi d'une voyelle accentuée, *ex.* **example** [ɪg'zɑ:mpl].

Y j avant une voyelle, *ex.* **yes** [jes].

aɪ, ɪ se retrouvent dans différents mots lorsque le **y** est accentué, *ex.* **deny** [dɪ'naɪ], **cry** [kraɪ], **lyric** ['lɪrɪk].

ɪ correspond à la prononciation d'un **y** final inaccentué, *ex.* **safety** ['seɪftɪ], **ugly** ['ʌglɪ].

L'Anglais dans le Monde

Reflet du rôle politique et économique de la Grande-Bretagne et des Etats-Unis dans l'histoire moderne, l'anglais est une langue internationale. Aujourd'hui, c'est aussi le vecteur des langues de spécialité, particulièrement dans les domaines de l'informatique et des technologies de pointe. Le vocabulaire de cet ouvrage est essentiellement celui de la langue britannique standard, mais il existe, dans le monde comme en Grande-Bretagne, de nombreuses variétés d'anglais. Nous vous proposons ici de parcourir les principales caractéristiques linguistiques et culturelles des pays de l'espace anglophone.

LE ROYAUME-UNI

Il comprend l'Angleterre, le pays de Galles, l'Ecosse et l'Irlande du Nord.

> Population : 57 300 000
> Langue officielle : anglais
> Monnaie : livre sterling (£) = 100 pence
> Capitale : Londres

L'Angleterre

La langue

L'anglais est une langue germanique qui, du Ve siècle à nos jours, a subi de nombreuses influences :

Angles, Jutes et Saxons envahirent le pays aux Ve et VIe siècles et, tout comme la structure de la langue, une certaine catégorie du vocabulaire quotidien en est l'héritage direct. Ce sont des mots qui font référence à la vie agricole des peuples anglo-saxons. A titre indicatif, on peut les comparer à leurs équivalents allemands :

anglais	allemand	
earth	Erde	*terre*
field	Feld	*champ*
house	Haus	*maison*
man	Mann	*homme*

Avec la christianisation, amorcée en 597 par Saint-Augustin, le vocabulaire s'enrichit de mots issus du latin, du grec et de l'hébreu. Par exemple :

angel	*ange*	**bishop**	*évêque*
apostle	*apôtre*	**Sabbath**	*sabbat*

Entre le VIIIe et le Xe siècle, les Vikings envahissent l'Angleterre. Il en résulte un enrichissement de la langue :

mots d'origine scandinave		*mots d'origine anglo-saxonne*	
skill	*savoir-faire*	**craft**	*art ; métier*
want	*vouloir*	**wish**	*souhaiter*

De 1066, date de la conquête normande, au XVe siècle, le français est la langue des souverains et de leur cour, l'anglais celle du peuple. Des mots français, reflets du nouveau mode d'organisation de la société, viennent imprégner la langue anglaise. Ainsi :

fortress	**noble** *(adj/n)*
government	**royal**

L'Angleterre élisabéthaine s'intéressant de plus près à la pédagogie et aux arts durant la Renaissance, l'anglais des sciences fait des emprunts au latin et au grec. Parmi ces nombreux mots nouveaux, on retiendra :

atmosphere	encyclopedia
education	poem

La langue standard et ses variantes

A l'origine, l'anglais standard est celui de la région de Londres. Son adoption sous une forme écrite remonte à l'invention de l'imprimerie, au XVIᵉ siècle. La langue parlée standard fut, quant à elle, favorisée à la fin du XIXᵉ siècle par le système des **public schools** et plus tard, par la BBC. Il existe, bien sûr, des dialectes et accents régionaux, comme dans le Yorkshire rural, mais aussi dans des régions industrielles : le Scouse, à Liverpool, le fameux Cockney, à Londres, dont on retrouve l'influence dans d'autres pays anglophones.

La prononciation L'anglais standard suit des règles de prononciation strictes, connues sous le nom de **Received Pronunciation** ou RP (prononciation standard). Par exemple, le "r" est presque inaudible, particulièrement celui qui termine les mots comme **father**. Les accents de Birmingham et de Manchester sont parmi les plus reconnaissables : **my** devient **mi**, **bus** sera prononcé **bous**, **love** sera prononcé **louv**.

L'Ecosse

> Autre langue : gaélique
> Capitale : Edimbourg

La langue

L'anglais d'Ecosse est l'une des variantes les plus particulières de l'anglais britannique. On y retrouve des influences de l'écossais (Scots), aujourd'hui un dialecte mais autrefois la principale langue écrite et parlée en Ecosse, et du gaélique, introduit d'Irlande au Vᵉ siècle. Le déclin de l'écossais, langue aux origines anglo-saxonnes, date des XVIᵉ et XVIIᵉ siècles. Beaucoup de termes écossais sont également employés dans le nord-est de l'Angleterre. Par exemple :

aye	*oui ; toujours*	**burn**	*ruisseau*
bonnie	*joli*	**wee**	*tout petit*

Un certain nombre de mots écossais sont aussi passés dans la langue anglaise standard. Ainsi : **cuddle** (caresse(s) ; étreinte) ; **glamour** (éclat ; prestige ; séduction) ; **raid** (incursion ; raid).

Le gaélique (d'Ecosse) Son influence sur l'anglais parlé en Ecosse est moindre que celle de l'écossais. Il n'est pratiqué que par 1% de la population, principalement dans les îles Hébrides. Toutefois, on assiste aujourd'hui à un regain d'intérêt pour la langue et la culture gaéliques. Parmi les emprunts, on note :

clan	*tribu ; famille*	**slogan**
glen	*vallée*	**whisky**
loch	*loch/lac*	

La prononciation Les Ecossais roulent les "r", ce qui rend leur accent facilement reconnaissable. Le son "ch" des mots d'origine gaélique (comme **loch**) est guttural.

Le pays de Galles

Autre langue : gallois ("cymraeg" en gallois)
Capitale : Cardiff

L'Anglais dans le Monde

La langue

Les Gallois sont les Celtes ou Bretons d'origine : après les invasions anglo-saxonnes des Ve et VIe siècles, les peuples bretons ont en effet été progressivement repoussés vers l'ouest de la Grande-Bretagne, c'est-à-dire vers l'actuel pays de Galles. En dépit du rattachement du pays à l'Angleterre dès le XIIIe siècle, le gallois reste une langue très vivante, encore pratiquée par 20% de la population. Bien que subissant son influence, l'anglais parlé au pays de Galles est plus proche de la langue standard que les variantes écossaises ou irlandaises.

La prononciation Pour les autres anglophones, l'anglais du pays de Galles se distingue plus par son intonation musicale que par une caractéristique de prononciation particulière.

L'Irlande du Nord

Capitale : Belfast

La langue

Les deux variantes de l'anglais qui existent en Irlande du Nord reflètent la lutte séculaire entre Irlandais catholiques et colons protestants. L'anglais parlé par les catholiques a subi l'influence du gaélique irlandais (*voir L'IRLANDE*), tandis que l'anglais des protestants conserve la trace de la présence écossaise dans le pays.

L'IRLANDE (EIRE)

Nom officiel : République d'Irlande
Population : 3 500 000
Langues officielles : anglais et gaélique (irlandais)
Monnaie : livre irlandaise (punt) = 100 pence
Capitale : Dublin

La langue

L'anglais d'Irlande a surtout été influencé par le gaélique, langue celtique des premiers habitants, les Gaëls. Aujourd'hui, seulement 1% de la population parlerait gaélique, mais le statut indépendant du pays et le système éducatif favorisent l'apprentissage de la langue et de la culture. L'anglais a assimilé un certain nombre de mots gaéliques, parmi lesquels :

blarney	*boniments ; bobards*
bother	*ennui ; souci*
galore *(adv)*	*en abondance ; à gogo*
shamrock	*trèfle (emblème national)*
smithereens *(npl)*	*éclats ; morceaux (d'objet cassé)*

En outre, la langue comporte de nombreuses expressions qui reflètent la structure grammaticale du gaélique et qui, par conséquent, sont considérées comme des variantes.

La prononciation Pour un anglophone, l'accent irlandais est facile à reconnaître. Une de ses principales caractéristiques est le "th" de **thought** et de **that** prononcé comme un "t" ou un "d".

LES ETATS-UNIS

Nom officiel : Etats-Unis d'Amérique
Population : 249 600 000
Langue officielle : anglais
Monnaie : dollar américain ($) = 100 cents
Capitale : Washington DC

La langue

Deux principaux facteurs expliquent la prépondérance de l'anglais américain aujourd'hui : le rôle joué par les Etats-Unis dans le monde et la diffusion internationale de la culture américaine, notamment par le biais du cinéma et de la musique. Cependant, l'anglais américain est également issu de nombreux métissages culturels :

Les Indiens d'Amérique On pense qu'ils arrivèrent d'Asie 35 000 ans avant J.-C., peut-être même avant. Actuellement au nombre d'1,5 million, la plupart d'entre eux vivent dans des réserves mises en place au XIXe siècle. Les premiers colons adoptèrent un certain nombre de mots issus des différentes langues indiennes. Parmi les plus connus, on distingue :

pecan	*noix pacane*	**skunk**	*mouffette*
powwow	*assemblée*	**wigwam**	*hutte d'Indien*
racoon	*raton-laveur*		

Les colons européens Les premiers colons britanniques du XVIIe siècle établirent des contacts avec d'autres colonies européennes. Leur vocabulaire s'enrichit alors de multiples emprunts, à l'espagnol : **chocolate** et **tomato** ; au français : **Cajun** (habitant de l'Acadie) ; **cent** (monnaie américaine) ; **levee** (levée ; digue) ; au néerlandais : **boss** (chef ; patron) ; **cookie** (biscuit sec) ; **landscape** (paysage).

L'immigration s'est poursuivie, amenant au XIXe siècle les Irlandais après la famine qui avait sévi chez eux et à partir du début du XXe siècle les Italiens et les Juifs d'Europe centrale. D'où les apports respectifs suivants : **shantytown** (bidonville) ; **baloney** (à l'origine "saucisse", maintenant "bêtises") ; **schmalz** (sentimentalisme). Aujourd'hui, de par l'importance de la population hispanique, l'influence de l'espagnol ne cesse de croître.

Les pionniers Au XIXe siècle commence la conquête de l'Ouest. La ruée vers l'or, l'élevage de bétail et le style de vie du "Far West", immortalisés ensuite par le cinéma, sont autant de facteurs d'enrichissement de la langue. Le vocabulaire des pionniers comprend aussi de nombreux emprunts à l'espagnol :

buck	*dollar (en argot)*
cowboy	*(littéralement : garçon qui garde les vaches)*
ranch	*(mot d'origine espagnole)*
stampede	*débandade ; sauve-qui-peut*

Les Noirs américains Ils sont actuellement au nombre de 26,5 millions. Dès le XVIIIe siècle, le créole parlé par les esclaves originaires d'Afrique influence l'anglais américain (*voir* LES ANTILLES *et* **Le pidgin**). Par la suite, notamment par le biais du jazz et du blues, la culture afro-américaine imprègne la langue anglaise dans le monde entier. Parmi les termes créés par les Noirs américains, on connaît en particulier :

banjo	**hip**	*à la mode*
boogie	**rap**	
cool	*frais ; décontracté*	

Anglais américain et anglais britannique

Le vocabulaire Un certain nombre de termes sont totalement différents, comme le montrent ces quelques exemples :

américain	*britannique*	
apartment	**flat**	*appartement*
candy	**sweets**	*bonbons*
diaper	**nappy**	*couche pour bébé*

drapes	**curtains**	*rideaux*
elevator	**lift**	*ascenseur*
second floor	**first floor**	*premier étage*
wrench	**spanner**	*clé (à écrous)*

L'orthographe L'orthographe de l'anglais américain a été normalisée par Noah Webster en 1828, auteur du dictionnaire qui porte aujourd'hui son nom. Ces exemples sont significatifs :

américain	*britannique*	
defense	**defence**	*défense*
color	**colour**	*couleur*
theater	**theatre**	*théâtre*
traveler	**traveller**	*voyageur*

La prononciation Par rapport à la prononciation de l'anglais britannique, l'une des principales caractéristiques reste l'accentuation "mouillée" du "r". Bien qu'il n'y ait pas une forme standard de l'anglais américain, il existe un équivalent de l'anglais de la BBC : le Network Standard.

LE CANADA

Population : 26 300 000
Langues officielles : anglais et français
Monnaie : dollar canadien ($) = 100 cents
Capitale : Ottawa

La langue

L'anglais du Canada est à mi-chemin entre anglais américain et anglais britannique. Mais la langue a subi d'autres influences :

Le français Aujourd'hui, le français est la première langue pour environ 20% de la population, tandis que

30% des Canadiens sont bilingues. Dès le XVIIe siècle, bon nombre de mots dérivés du français imprègnent l'anglais canadien, entre autres : **bateau** (bateau à fond plat allant sur une rivière) et **mush** (mot qui vient de "marche!" [ordre donné à un chien] et qui désigne aujourd'hui un voyage en traîneau).

La population indigène Il y a aujourd'hui environ 300 000 Indiens d'Amérique au Canada et 19 000 Inuits (Eskimos). Parmi les emprunts aux langues amér-indiennes et inuits, on note : **caribou** (mot algonquin désignant le renne du Canada) ; **eskimo** (littéralement : mangeur de viande crue) ; **kayak**.

L'influence britannique et américaine Les Canadiens anglophones ont tendance à utiliser le vocabulaire américain, par exemple **gas** au lieu de **petrol**. En revanche, pour l'orthographe, la forme britannique est la plus employée : **centre** et **colour** plutôt que **center** et **color**.

La prononciation Bien que quelques sons de voyelles soient différents, la différence entre l'accent canadien et américain peut être difficile à percevoir pour qui n'est pas un locuteur natif.

L'AUSTRALIE

Nom officiel : Commonwealth d'Australie
Population : 16 800 000
Langue officielle : anglais
Monnaie : dollar australien ($) = 100 cents
Capitale : Canberra

La langue
Les principaux facteurs historiques ayant influencé l'anglais australien sont les suivants :

L'Anglais dans le Monde

La colonisation La plupart des premiers Britanniques qui s'installèrent en Australie du XVIIIe siècle étaient des repris de justice. Leur discours était imprégné de mots et expressions argotiques, particulièrement ceux du dialecte londonien. Ces traits ont été d'une influence majeure sur le développement de l'anglais australien et la langue d'aujourd'hui est encore riche d'expressions pittoresques. Voici quelques tournures typiques de l'anglais d'Australie :

bonzer *excellent ; très bon* **Oz** *Australie (terme*
cobber *pote* *affectueux)*
dinkum *bon ; authentique* **pom(my)** *un Anglais (péj)*

Les aborigènes Arrivés d'Asie du Sud-Est environ 30 000 ans avant J.-C., ils représentent actuellement moins de 1% de la population. De leurs langues viennent un certain nombre de mots qui, bien que spécifiques à l'Australie, sont connus par les autres anglophones. Ainsi : **billabong** (de "billa" = rivière, et "bong" = mort ; bras de rivière qui n'aboutit nulle part, qui disparaît) ; **boomerang** (arme de jet des aborigènes) ; **coolibah** (arbre qui pousse le long des rivières) ; **kangaroo** (kangourou).

La conquête des terres Lié à l'installation des colons à l'intérieur du pays, le mythe de la brousse (**the bush**) et de l'**outback**, c'est-à-dire des terres arides ou désertiques, forme un trait caractéristique de la culture australienne. Une langue très particulière s'est donc forgée autour de ce style de vie :

bush ranger *forçat réfugié dans la brousse ; broussard*
flying doctor *médecin qui se déplace en avion*
never never *paysage désert, loin de toute civilisation*
sheep station *grande ferme d'élevage (de moutons)*

stockman	*éleveur de bétail*
swagman	*ouvrier agricole itinérant*

Prononciation On retrouve, en Australie comme en Nouvelle-Zélande, l'influence du Cockney, notamment dans la prononciation des voyelles.

LA NOUVELLE-ZÉLANDE

Population : 3 400 000
Langue officielle : anglais
Autre langue : maori
Monnaie : dollar néo-zélandais ($) = 100 cents
Capitale : Wellington

La langue

L'influence britannique et australienne L'anglais de la Nouvelle-Zélande est plus proche de la forme britannique que l'anglais d'Australie, vraisemblablement pour deux raisons : la colonisation britannique a été plus tardive et la Nouvelle-Zélande a entretenu d'étroites relations avec la Grande-Bretagne pendant plus longtemps. Malgré tout, la langue a surtout subi l'influence de l'anglais australien.

Les Maoris D'origine polynésienne, les Maoris, qui représentent actuellement 10% de la population, occupèrent l'archipel à partir du XVIe siècle. On assiste aujourd'hui à un regain d'intérêt pour leur langue et leur culture. L'anglais parlé en Nouvelle-Zélande contient de nombreux termes maoris. L'exemple le plus fameux est **kiwi**, qui désigne l'oiseau devenu l'emblème national du pays et aussi – mais l'appellation est plus récente – un fruit.

La prononciation La plupart des anglophones eux-mêmes ont du mal à distinguer l'accent néo-zélandais et l'accent australien.

LES ANTILLES

Les principales îles où l'on parle anglais sont les suivantes : Jamaïque (Jamaica), Trinité (Trinidad), Barbade (Barbados) et Antigua. La langue a essentiellement subi l'influence de l'anglais pidgin (*voir* **Le Pidgin**) d'Afrique de l'Ouest appris par les esclaves africains envoyés aux Antilles dès le début du XVIIe siècle. Du pidgin naquit le créole qui forme aujourd'hui la base de l'anglais parlé aux Antilles. Les autres créoles antillais sont le français et l'espagnol.

Récemment, la popularité de certaines musiques des îles antillaises a contribué à la diffusion d'expressions caractéristiques :

calypso
dreadlocks *(= longues tresses portées par les Rastas)*
dub *(= poésie rythmée)*
Rasta(farian)
reggae
voodoo *vaudou*

La prononciation Le rythme de la langue et l'accentuation sont différents, ce qui rend l'anglais antillais difficile à comprendre même pour les autres anglophones.

L'Anglais comme seconde langue

L'AFRIQUE DU SUD

L'anglais est la langue maternelle d'une minorité de la population blanche, et la deuxième langue d'une majorité croissante de Noirs. L'afrikaans, formé à partir de la langue des colons hollandais arrivés au XVIIe siècle, est parlé par la majorité des Blancs. Au XXe siècle, les Noirs ont choisi l'anglais comme seconde langue, et non l'afrikaans, pour protester contre la domination des Afrikaners, mais aussi parce que l'anglais reste la langue de communication avec d'autres peuples africains.

L'INDE

Dans le sous-continent indien, l'influence anglaise commence au XVIIe siècle avec la création de la Compagnie des Indes orientales et culmine au XIXe siècle, quand l'Inde devient le "joyau" de l'empire britannique. L'anglais a assimilé un nombre considérable de mots d'origine indienne. Par exemple :

bungalow   **jungle**
curry   **turban**

En Inde, l'anglais est la langue de l'enseignement et de l'éducation depuis le XIXe siècle et continue à jouer un rôle important.

LES AUTRES PAYS

L'anglais est également utilisé comme seconde langue de communication et pour l'enseignement dans de nombreux pays, notamment en Afrique de l'Ouest, et en Asie. L'espace anglophone inclut le Cameroun, la Gambie, le Ghana et le Nigeria ; le Bangladesh, le Pakistan et le Sri Lanka ; la Malaisie et les Philippines.

Le pidgin

Né du contact de l'anglais avec diverses langues d'Extrême-Orient et d'Afrique, il s'agit, à l'origine, d'une langue auxiliaire de communication, principalement utilisée pour faciliter le commerce. Afin d'éviter confusions et problèmes, les mots les moins importants, ainsi que les terminaisons des mots, sont souvent supprimés.

TABLE DES MATIÈRES

Table des Matières

Table des Matières

Table des Matières

Table des Matières

Achevé d'imprimer par l'Imprimerie
Maury-Eurolivres S.A. à Manchecourt
Octobre 1994 – N° d'éditeur : 18206
Dépôt légal : Mars 1994 – N° d'imprimeur : 94/07/M 4615

Imprimé en France – (Printed in France)